Severovýchodné
SLOVENSKO

Zostavenie: Anna Vojčíková - Poláčková

Text: Imrich Michnovič

Fotografie a podpisky pod obrázky: Dionýz Dugas

Ďalšie doplnené fotografie: Juraj Guzej (č. 34, 38, 45, 49, 125)

Redakcia a grafická úprava: Daniela Slezáková

Preklady: do angličtiny a nemčiny Magda Lazarová
            do francúzštiny Karel Sekvent
            do poľštiny Júlia Dudášová - Kriššáková
            do maďarčiny Ladislav Zeman
            do ruštiny Mária Venglarčíková

Vyznanie

NAMIESTO PREDSLOVU

Kniha, obraz, fotografia, text. Ich cieľom je obyčajne odovzdať informáciu, upútať, osloviť, poučiť, prilákať alebo ovplyvniť pohľad na predstavované. Táto publikácia má cieľov viac. Chce byť v prvom rade darom pre človeka najvzácnejšieho, prvého muža tejto planéty, pápeža Jána Pavla II., pri príležitosti jeho návštevy v Prešove dňa 2. júla 1995. Cez ňu mu chceme priblížiť malý kus Zeme, kút Slovenska, ktorý je mu blízky, ktorého obyvatelia túžili po stretnutí s ním a ktorých túžbu on, hlava kresťansko-katolíckej cirkvi, napĺňuje.

Táto kniha chce však byť aj obrazom časti Slovenska, ktorá je nám, tu žijúcim, najbližšia, ktorú milujeme. Ktorá je naším domovom, istotou, zázemím, pokladom, ale aj osudom, miestom našich radostí a starostí, trápení i víťazstiev, skrátka všetkým. Nakoniec chceme, aby táto publikácia poslúžila účastníkom stretnutia so Svätým otcom ako spomienka na atmosféru, prostredie, videné i počuté, hlavne však precítené počas spoločne strávených chvíľ. Pre tých, ktorí sa stretnutia nezúčastnia, nech je obrazom krásneho kúska slovenskej zeme, ktorý svojou návštevou poctil námestník Kristov, nástupca Petrov, otec a brat nás všetkých.

Kto sme my, pre ktorých je najvzácnejší práve tento kúsoček Zeme? Čo nás spája? Čo máme spoločné? Prečo sme hrdí, dobrosrdeční, veselej povahy, pracovití, verní a pohostinní?

Hovoria nám Východniari. Šarišania a Zemplínčania. Žijeme tu v údoliach a na úbočiach Čergova, Slanských vrchov, Nízkych Beskýd a Vihorlatu svorne s ľuďmi iných národností, hlavne Rusínmi, Ukrajincami, Poliakmi a Rómami. Snáď rovnaký ráz krajiny, zeleň, hory, lesy, lúky, stráne, rieky a potoky, jazerá i oblohy sú tým jednotiacim prvkom, ktorý nám dáva charakteristické vlastnosti, radiace nás k sebe. Spoločná história, z charakteru krajiny vyplývajúci podobný spôsob dobývania chleba, získavania obživy, povedomie, že máme jedného Otca, to všetko má za následok blízkosť kultúr, mentality i vonkajších prejavov. Preto nás, ktorí žijeme v kraji predstavenom touto knihou, vedia odlíšiť od ostatných Slovákov.

Posúďte sami, či nemáme byť na čo hrdí. Či nemáme dôvod byť svojskí. Listujte v knihe a obdivujte výsledky rozumu, práce, fortieľa a umenia našich predkov i naše. Vnímajte krásu našich miest a dedín, ich filozofiu, zmysel ich osnovateľov pre harmóniu, vyváženosť, cit pre detail, účelnosť architektúry. Kochajte sa umením zhmotneným v našich sakrálnych objektoch, galériách a skanzenoch a snažte sa pochopiť úroveň viery a lásky, tvorcov tejto krásy. S bázňou hľaďte na výtvory ľudového umenia a za krásou krojov a pohybu sa snažte počuť poéziu a hudbu. Nech Vás očarí silueta krajiny i detaily z lona prírody. Potom všetko pochopíte. Potom my, tu žijúci, si ešte viac zvýšime vlastné sebavedomie a budeme sa snažiť všetko precítiť, nielen pohľadom na obrázky. Potom Vy, ktorí tento kraj nepoznáte, dospejete k rozhodnutiu navštíviť ho a zažiť jeho atmosféru.

Vitajte v severovýchodnom cípe Slovenska. Buďte si istí, že tu Vás stále privítame s otvoreným náručím, srdečne, s láskou.

Tešíme sa na Vás!

Ing. Juraj KOPČÁK
primátor mesta Prešov

Prešov

Starobylý Prešov, v minulosti i v súčasnosti metropola Šariša, sa už viac ako sedem storočí rozprestiera na severnom okraji Košickej kotliny po obidvoch brehoch Torysy.

Archeológovia početnými nálezmi prezentujú kontinuitu osídlenia jeho územia od praveku až po ranostredoveké obdobie. K pôvodnému slovenskému obyvateľstvu, obývajúcemu priestory dnešnej Slovenskej ulice, postupne pribudlo maďarské (snáď na prelome 11. a 12. storočia) a nemecké obyvateľstvo (koncom 12. a začiatkom 13. storočia).

K dynamickému rozvoju tejto včasnohistorickej lokality prispela predovšetkým priaznivá poloha na križovatke starých obchodných ciest. Prvá písomná správa z roku 1247 (Epuryes) sa týka sporov nemeckých osadníkov z Prešova s bardejovským mníšskym rádom cistercitov (ohľadom hraníc chotára). Pre všetky tri národnosti žijúce v Prešove, ale i pre obyvateľov Veľkého Šariša a Sabinova, je historicky veľmi významná listina mestských privilégií od Ondreja III. z roku 1299. V priebehu 14. storočia dostal Prešov niektoré ďalšie výsady, čím sa završil jeho mestotvorný proces a stal sa slobodným kráľovským mestom, jedným z najvýznamnejších vo vtedajšom Uhorsku. Hospodárske aktivity, predstavované rozvojom remeselnej výroby a obchodu, širokokoncipované stavebné zámery, dôraz, aký mestská rada venuje cirkvi a školstvu, znamenajú v 15. storočí obdobie najväčšieho rozmachu. Koncom 15. storočia žilo v meste okolo štyri tisíc obyvateľov. Do roku 1600 tento počet vzrástol na približne 5 500. Rozvoj remeselnej výroby vyjadruje aj tento údaj: v polovici 17. storočia dosiahol počet cechov číslo 47. Hospodársky významným odvetvím bolo tkanie a bielenie plátna. Prešovským obchodníkom nesporne poslúžilo úplné oslobodenie od mýtnych poplatkov v kráľovských mýtniciach Uhorska udelené im roku 1405, ako aj právo skladu roku 1536.

Od 16. storočia zaujíma Prešov popredné miesto pri šírení reformácie. Hoci škola jestvovala v Prešove už pred rokom 1429, kvalitatívny vzostup úrovne vyučovania je evidentný po roku 1531, keď sa začínajú uplatňovať vplyvy a idey reformačného humanizmu. Za učiteľov sú prijímaní absolventi prichádzajúci najmä z nemeckých univerzít. Je medzi nimi vynikajúci pedagóg Lukáš Fabinus-Popradský, Ján Bocatius a ďalší. Aténami nad Torysou sa mesto stalo zásluhou vysokej úrovne evanjelického kolégia, ktoré bolo založené v roku 1667. Desiatky vynikajúcich pedagógov a absolventov môžeme zaradiť do zoznamu tých, ktorí na tejto škole pôsobili alebo študovali. Sú medzi nimi J. Matthaeides, J. Bayer, I. Caban, J. Rezík, J. M. Korabinský, E. Ladiver ml., G. Fabri. V období národného obrodenia tu študovali M. M. Hodža, J. Záborský, J. Francisci a ďalší.

Koncom 19. storočia na Právnickej akadémii študovali P. O. Hviezdoslav, J. Botto, J. Jesenský a iní.

Z vojensko-politických dejov sa k Prešovu viaže najmä udalosť z roku 1687, keď vojenský súd pod vedením generála Caraffu odsúdil a dal popraviť 24 mešťanov a šľachticov (obvinených z podpory a sympatií k I. Tökölymu a jeho manželke H. Zrínskej).

S nastupujúcou rekatolizáciou sa v meste opäť usadzujú niektoré mníšske rády. Z cirkevných dejín mesta udalosťou osobitého významu je zriadenie gréckokatolíckej prešovskej diecézy, ktorej prvým biskupom sa roku 1821 stal Grigorij Tarkovič.

Hospodársky úpadok mesta po roku 1711 je viac ako evidentný. Zotavovalo sa z neho iba veľmi pomaly. Upadajú remeslá, vznikajú prvé manufaktúry. Vzostup je zreteľnejší v druhej polovici 19. storočia, keď i Prešov bol napojený na železničnú sieť. Sídlom župy prestal byť v roku 1922. Za Slovenskej republiky v rokoch 1939 - 1944 bol sídlom Šarišsko-zemplínskej župy a v rokoch 1949 - 1960 sídlom Prešovského kraja.

Mesto je klenotnicou umeleckohistorických pamiatok. Historické jadro bolo vyhlásené za mestskú pamiatkovú rezerváciu. Vzácne je vretenovité námestie, na ktorom sú meštianske domy na pôvodných gotických parcelách. Najcennejšou pamiatkou je rímskokatolícky kostol sv. Mikuláša, pôvodne jednoloďová gotická stavba z polovice 14. storočia. Kostol a kláštor františkánov je pôvodne postavený karmelitmi a až v druhej polovici 17. a v 18. storočí upravený v barokovom slohu. Biskupský gréckokatolícky chrám sv. Jána Krstiteľa je z konca 15. storočia, prestavaný a zbarokizovaný v polovici 18. storočia. Neskororenesančná stavba kostola evanjelickej cirkvi augsburského vyznania je z prvej polovice 17. storočia, upravený bol v 18. storočí. Pravoslávny kostol sv. A. Nevského je z 20. storočia. Vzácnou stavbou z konca 19. storočia je židovská synagóga. Desiatky ďalších cenných objektov sa nachádzajú nielen v historickom jadre Prešova, ale i v jeho okolí.

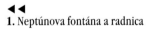

◄◄
1. Neptúnova fontána a radnica

2. Fontána na Námestí legionárov

3. Pri fontáne na Námestí mieru

4. Rímskokatolícky farský kostol sv. Mikuláša

5. Divadlo Jonáša Záborského

6. Panoráma prešovského námestia

7. Budova radnice, dnes sídlo mestského
úradu

8. Caraffova väznica

9. Meštianske domy na námestí

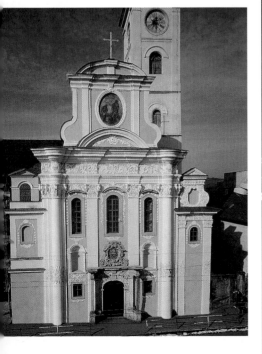

14. Z liturgie v gréckokatolíckom chráme

15. Barokový komplex kalvárie s kostolom
sv. Kríža

16. Letecký záber na historické jadro Prešova

17. Floriánova ulica

18. Z expozície Človek a oheň
    vo vlastivednom múzeu

19. Bývalý Rákociho palác

20. Konfrontácia starého a nového Prešova

21. Bývalý Župný dom

22. Rozkvitnutá Ulica 17. novembra

23. Hotel Šariš

24. Floriánova brána z vonkajšej strany

25. Solivar, interiér šachty Leopold

26. Čepiec zo šarišského ľudového odevu

27. Solivarská paličkovaná čipka

28. Šarišský ľudový odev z obce Kojatice

29. Pohľad z vrcholu Bachurne

30. Priehradná vodná nádrž Sigord

31. Lyžiarsky areál Búče v pohorí Bachureň

32. Skalný útvar Mojžišov stĺp v Lačnovskom kaňone

„VÚB - najlepšia banka na Slovensku. Awards for Excellence 1994."
Časopis Euromoney, júl 1994

VŠEOBECNÁ ÚVEROVÁ BANKA

Život Vašich peňazí.

Vkladové účty. Vkladné knižky. Sporenie s prémiou.

V živote nemáte veľa istôt. Jednou z nich môže byť Všeobecná úverová banka. Ponúkame Vám sporenie so zaujímavými úrokovými sadzbami s možnosťou mať vždy časť peňazí poruke. Tieto výhody dosiahnete vhodnou kombináciou termínovaného a osobného účtu.

Ak si chcete uložiť peniaze na dlhšie, a tým ich výraznejšie zhodnotiť, môžete si vybrať:

● **vkladnú knižku** alebo **vkladový účet** s výpovednou lehotou 1, 3, 6, 9, 12, 18, 24 alebo 48 mesiacov

● **termínovaný vkladový účet** s viazanosťou vkladu na 1, 3, 6, 9, 12 mesiacov. Pri väčších sumách vkladov sa úroková sadzba zvyšuje o 1%.

● **sporenie s prémiou** - sporenie zvýhodnené o prémiu vo výške 13-násobku základného mesačného vkladu, ktorá sa pripisuje po 4 rokoch. Najmenší mesačný vklad je 500 korún.

● **osobný účet** s platobnou kartou - peniazmi disponujete podľa potreby a pritom sú stále úročené.

Vyberte si
najlepšie
sporenie.

Pobočka: Prešov, Masarykova 13
Expozitúry: Hlavná 133, Prešov ✳ Sabinov ✳ Lipany ✳ Drienov

Humenné

V prstenci posledných výbežkov Ondavskej vrchoviny a Vihorlatu na strednom toku Laborca a jeho prítoku Cirochy sa nachádza zemplínske mesto Humenné.

Archeológovia i historici sa zhodujú v tom, že v prípade Humenného ide o veľmi zaujímavú sídlištnú lokalitu, ktorá s blízkym okolím nesie stopy ľudskej prítomnosti od paleolitu až po 13. storočie, do ktorého siahajú domnienky o existencii včasnostredovekej osady. Písané dejiny Humenného začínajú až rokmi 1332 - 1337, keď sa v súpise pápežských desiatkov uvádza farár kostola svätého Petra z Humenného (de Humenna). Poloha na dôležitej križovatke ciest (z Potisia údolím Laborca do okolia Haliče, údolím Cirochy smerom na Sninu a Ulič do Ruska) urýchlila rozvoj stredovekej osady na poddanské mestečko (oppidum). Tri a pol storočia bol osud mestečka a jeho obyvateľov bezprostredne spojený s Drugetovcami, ktorí prišli do Uhorska v službách Karola Róberta. Pred rokom 1327 panovník ustanovil Filipa Drugeta za dedičného župana Zemplínskej stolice a daroval mu hradné panstvá Brekov a Jasenov (skonfiškované Petrovi Peteňovi). Tradícia výročných trhov, mýtna a tridsiatková stanica, skutočnosť, že Humenné sa stalo centrom rozsiahleho feudálneho panstva (v roku 1612 Drugetovci vlastnili 126 obcí), to všetko priaznivo ovplyvňovalo hospodársko-spoločenské a kultúrne postavenie mestečka v severovýchodnom Zemplíne. Okrem stále prevládajúceho poľnohospodárstva sa Humenčania čoraz viac uplatňujú aj v remeselníctve. V 17. storočí vzniklo prvých päť cechových organizácií a v nasledujúcich rokoch pribúdali ďalšie. Koncom 18. storočia pôsobilo v Humennom až 148 remeselníkov rôznych špecializácií.

V priebehu storočí sa mestečka dotkli všetky významnejšie politické či vojenské udalosti, ktoré sa prehnali Zemplínom. Osobitne ťažko doľahlo stavovské povstanie Imricha Tökölyho nielen na Humenné, ale i na jeho zemepána. Roku 1684 Tököly nechal v Košiciach popraviť posledného mužského potomka Žigmunda Drugeta. Majetky po ženskej línii sa dostali pod správu Wan Dernátovcov, Čákiovcov a Zičiovcov. Začiatkom 19. storočia sa humenského panstva zmocnila magnátska rodina Andrášiovcov. Humenné v tom čase (1828) malo 364 domov a žilo tu 2 666 obyvateľov.

Dejiny školstva v mestečku nesporne súvisia s príchodom františkánskeho rádu do Humenného v roku 1480. Ich zásluhou tu začala pôsobiť nižšia latinská škola, ktorá zanikla roku 1531, keď Drugetovci po prijatí reformácie vyhnali františkánov z Humenného. Až takmer po sto rokoch sa Drugetovci vrátili ku katolíckej viere a stáli v čele rekatolizačného úsilia v tomto regióne Slovenska. Roku 1612 Juraj Druget povolal do Humenného jezuitov a vymohol si povolenie založiť v meste kolégium (roku 1613). V roku 1640 bolo preložené do Užhorodu. Školy stredného typu - rezbárska a obchodná - boli v Humennom zriadené až v druhej polovici 19. storočia a po ich zániku opäť až po roku 1918.

V druhej polovici 19. storočia nastáva hospodárske oživenie. Roku 1871 bol odovzdaný úsek trate Michaľany - Humenné a v roku 1874 aj Humenné - Lupkovský priesmyk. V meste sa vybudovali tri liehovary, pivovar, tri mlyny na Laborci, rastie počet obyvateľstva, hoci vysťahovalectvo ho značne oklieśťuje. V roku 1869 žilo v Humennom 3 548 obyvateľov, ale v roku 1910 už 4 508. Za toto obdobie pribudlo v meste niekoľko tlačiarní a vychádzali v maďarčine noviny Homonna és Vidéke.

V meste, ale i v jeho okolí, sa nachádza celý rad zaujímavých kultúrnych pamiatok a chránených krajinných oblastí. Najstaršou stavebnou pamiatkou je rímskokatolícky farský kostol zo 14. storočia. Dodnes sa v ňom zachovali viaceré pôvodné gotické prvky (klenba, portály, pastofórium). Roku 1529 vyhorel a bol opravený. Ďalšie stavebné úpravy sa uskutočnili v 18. storočí a bežné opravy v ďalších dvoch storočiach. V mnohom podobný bol i osud františkánskeho kláštora, ktorého výstavba prebiehala súbežne so stavbou kostola.

Na mieste dnešného reprezentačného kaštieľa už v 15. storočí stálo gotické castellum, začiatkom 17. storočia renesančne upravené. Dnešnú pseudohistorickú podobu dostal kaštieľ koncom 19. storočia. V druhej svetovej vojne bol poškodený, po vojne vyhorel a až následná rekonštrukcia umožnila jeho súčasné využitie predovšetkým pre účely vlastivedného múzea.

Rímskokatolícky kostol na kalvárii bol postavený roku 1891 v neoklasicistickom slohu a gréckokatolícky chrám barokovo-klasicistického slohu je z roku 1767. Rokokovo-klasicistická stavba synagógy je takisto z konca 18. storočia (1795). Z konca 19. storočia je kostol evanjelickej cirkvi augsburského vierovyznania.

Stredoveké hrady Brekov a Jasenov sú v ruinách, ale drevená architektúra v humenskom skanzene je vzácnym dokladom o umelecko-remeselnej zručnosti tu žijúceho obyvateľstva.

◄◄

33. Priečelie kaštieľa

34. Panoráma Humenného od západu

35. Nová tvár mesta

36. Pred domom kultúry

37. Budova mestského úradu

38. Panoráma Sídliska III

39. Obchodné stredisko na Námestí slobody

40. Pamätník osloboditeľom mesta

41. Rímskokatolícky farský kostol Všetkých
    Svätých

42. Gotický interiér rímskokatolíckeho kostola

43. Muzeálna expozícia v interiéri kaštieľa

▶

44. Rozkvitnuté záhony pred kaštieľom

45. Historický program na nádvorí kaštieľa

46. Z folklórneho vystúpenia v skanzene

47. Údolie nad Novou Sedlicou

48. Skanzen v parku pri kaštieli

49. Jarabá skala na hrebeni Bukovských
   vrchov

50. Prales na hrebeni Bukovských vrchov

51. Drevený kostolík v Hrabovej Roztoke

52. Časť ikonostasu dreveného kostolíka
   z Novej Sedlice v skanzene

Bardejov

Je len málo miest na Slovensku, ktoré sa tak výrazne zapísali do celonárodného dejinného kontextu, ako práve Bardejov, v minulosti i v prítomnosti hospodársko-spoločenské a kultúrne centrum horného Šariša.

Slovanská osada vznikla a vyvíjala sa na dôležitej obchodnej ceste vedúcej údolím Sekčova a Tople na sever do Poľska. Z malej trhovej osady, prvýkrát spomínanej roku 1241 v ipatijevskom letopise (Bardouev), vyrástlo v priebehu 13. a 14. storočia jedno z popredných miest vtedajšieho Uhorska. Mestotvorný proces urýchlili početné kráľovské privilégiá (roku 1320 od Karola Róberta, ktorým oslobodil Bardejovčanov na desať rokov od platenia dane, roku 1352 od Ľudovíta I., ktorý im udelil právo na osemdňový jarmok a obohnať mesto múrom a bránami, a od toho istého panovníka získali roku 1365 hrdelné právo, z ktorých najvzácnejšie bolo privilégium Ľudovíta I. z roku 1376, povyšujúce Bardejov na slobodné kráľovské mesto a radiace ho na roveň takých kráľovských miest, akými boli Budín a Košice.

Rozhodujúcu úlohu v hospodárskom živote stredovekého mesta mali obchod a remeslá. Bardejovskí kupci sa okrem vývozu domácich a dovozu zahraničných tovarov zúčastňovali najmä na tranzitnom obchode, v ktorom malo prevahu súkno. Veľký rozmach remeselnej výroby potvrdzuje viac než 40 remeselníckych špecializácií a vysoký počet cechov. Zo všetkých výrobných odvetví najväčší rozmach dosiahla výroba plátna. Druhá polovica 15. storočia je obdobím vyvrcholenia hospodárskeho rozkvetu stredovekého Bardejova.

Už sa zaužívalo konštatovanie, že „zlatým vekom" rozvoja kultúry a vzdelanosti v tomto meste bolo 16. storočie, keď i tu sa udomácnili myšlienkové prúdy renesančného a reformačného humanizmu. Zásluhou humanistických vzdelancov, akými boli básnik L. Cox, V. Eck, ale najmä bardejovský rodák L. Stöckel, pedagóg-novátor a cirkevný reformátor, odchovanec M. Luthera a F. Melanchthona, sa Bardejov stal jedným z významných centier reformácie a protestantského školstva. V tunajšej tlačiarni vyšla v roku 1581 i najstaršia slovenská tlačená kniha - Lutherov katechizmus. Dejiny slovenského hudobného baroka oceňujú tvorbu bardejovského organistu Z. Zarevúcia. V 17. storočí tu pôsobil vynikajúci pedagóg, filozof a spisovateľ E. Ladiver ml. V Bardejove sa narodil hudobný skladateľ a koncertný umelec B. Kéler (1820). Národnoobrodenecké hnutie je spojené s pôsobením rímskokatolíckeho kňaza J. Andraščíka, autora divadelnej hry Šenk palenčený a s pôsobením poštúrovského básnika a publicistu, evanjelického kazateľa J. Kellu-Petruškina. V medzivojnovom období v ľudovýchovnej oblasti vynikli prelát G. Žebracký a školský inšpektor B. Krpelec.

Hospodársky úpadok sa otvorene prejavuje od 17. storočia. Politické premeny po roku 1848 nijak osobitne neovplyvnili pomery v meste. Bývalé kráľovské mesto sa dostáva na perifériu štátu. Ak v 15. - 16. storočí sa počet obyvateľov pohyboval okolo 3 500, tak koncom 18. storočia bol len o málo prekročený. Do roku 1921 vzrástol na 6 593, ale za sedem desaťročí (do roku 1991) prekročil hranicu 31 tisíc obyvateľov.

Bardejov je od roku 1952 mestskou pamiatkovou rezerváciou, ktorá predstavuje jedinečný komplex historického stredovekého jadra s mimoriadne cennými umeleckohistorickými pamiatkami. Zápas o komplexnú regeneráciu a revitalizáciu mesta ocenilo v roku 1986 Medzinárodné kuratórium nadácie ICOMOS pri UNESCO udelením Európskej ceny, a to Zlatej medaily mestu Bardejov. Dve z najvzácnejších pamiatok - rímskokatolícky farský kostol sv. Egídia s jedenástimi krídlovými gotickými oltármi z 15. a 16. storočia a bývalá mestská radnica zo začiatku 16. storočia - boli vyhlásené za národné kultúrne pamiatky. Kolorit vzácnych architektonických objektov dopĺňajú kostol a kláštor františkánov, gréckokatolícky a evanjelický kostol, ako aj tzv. židovské suburbium (súbor bývalých židovských kúpeľov a synagóg). Šarišské múzeum spolu s múzeom ľudovej architektúry patria medzi prvé svojho druhu v Šariši.

Slávu mesta šíria i neďaleké Bardejovské Kúpele s vynikajúcimi liečivými prameňmi najmä na choroby tráviaceho ústrojenstva. Blízke okolie Bardejova ponúka návštevníkovi nezabudnuteľné zážitky. Je to predovšetkým hrad Zborov (Makovica), sedem drevených kostolíkov - národných kultúrnych pamiatok (Hervartov, Krivé, Kožany, Tročany, Lukov-Venécia, Jedlinka, Frička), vzácne prírodné rezervácie (Magura, Becherovská tisina, Regetovské rašelinisko, slatina v Bardejovskej Novej Vsi) a minerálne pramene (Bardejovské Kúpele a Cigeľka).

53. Historické námestie s radnicou

54. Vianočná nálada na Radničnom námestí

55. Maľované priečelie meštianskeho domu

56. Interiér rímskokatolíckeho kostola
    sv. Egídia

57. Časť krídlového oltára Narodenia Pána
    v kostole sv. Egídia

58. Celkový pohľad na starý Bardejov

59. Neskorogotická radnica zo začiatku
16. storočia

60. Štvorhranná bašta zo stredovekého
opevnenia mesta

◄

66. Interiér dedinského domu zo skanzenu
   v Bardejovských Kúpeľoch

67. Pár zo súboru Čerhovčan

68. Krajina v okolí Bardejova

69. Drevený kostolík v obci Krivé

70. Ikona z dreveného kostolíka v Tročanoch

71. Drevený kostolík v Hervartove

Stará Ľubovňa

Sídlo tohoto najmenšieho a najmladšieho okresu leží v doline Popradu, kde sa stýkajú Ľubovnianska vrchovina s Levočskými vrchmi.

Prvá písomná zmienka o Ľubovni je z roku 1292 (Libenow). V listine Václava II., českého kráľa a malopoľského vojvodu, sa uvádza, že obyvatelia dedín Ľubovňa a Hniezdne majú pomáhať pri obnove a budovaní obranných valov mesta Podolínec. Prívlastok „Stará" získala až po roku 1308, po vybudovaní Novej Ľubovne. Historici predpokladajú existenciu Starej Ľubovne už pred 13. storočím.

Prvý hodnoverný doklad o existencii Ľubovnianskeho hradu pochádza až z roku 1311, keď ho vlastnili Omodejovci. K majetku uhorskej koruny ho pričlenil Karol Róbert. Jeho zásluhou sa ľubovnianske hradné panstvo, súčasťou ktorého sa stala aj Stará Ľubovňa, už pred rokom 1322 dostalo do vlastníctva Filipa Drugeta.

V priebehu 14. storočia sa Stará Ľubovňa ležiaca na významnej obchodnej ceste do Poľska, v strategicky bezpečnom podhradí, stala tridsiatkovou stanicou a jej postavenie v druhej polovici storočia posilnili mestské výsady od Ľudovíta I. (jarmočné a trhové právo).

Pamätným rokom pre mesto je rok 1412, keď sa na tunajšom hrade uskutočnilo osudné zálohovanie 13 spišských miest za 37 000 kôp českých grošov medzi uhorským kráľom Žigmundom a poľským kráľom Vladislavom II. Jagelonským. Záloh trval plných 360 rokov, prinavrátenie sa uskutočnilo až za vlády Márie Terézie roku 1772. Administratívnym i hospodárskym centrom zálohovaného územia sa stal Ľubovniansky hrad, na ktorom sídlil i poľský gubernátor a tridsiatkový úrad. V 18. storočí jestvovala samostatná mena - ľubovniansky zlotý.

Roky v poľskom zálohu prispeli k hospodárskemu i spoločenskému rozvoju mesta, po jeho navrátení však nastáva úpadok. Po roku 1778 až do roku 1876 patrilo mesto do tzv. Provincie šestnástich spišských miest. O pokračujúcom úpadku mesta svedčí aj počet obyvateľov v roku 1828 - 1990, ale najmä fakt, že z tohto počtu bolo iba 24 remeselníkov.

Náznaky oživenia sledujeme v druhej polovici 19. storočia, keď tu vzniklo niekoľko peňažných ústavov a začiatkom 20. storočia družstvo garbiarov a filiálka kežmarskej textilky. Nedostatok pracovných príležitostí vyháňal ľudí za prácou do zámoria. Aj preto počet obyvateľstva v meste nielen stagnoval, ale až poklesol. V roku 1869 žilo v meste 2 060 obyvateľov, v roku 1900 poklesol ich počet na 1 977 a v roku 1910 dokonca až na 1 841.

Po vzniku Československej republiky pribudlo niekoľko ďalších podnikov - píla, garbiareň, sviečkáreň, perníkáreň, likérka, výroba modrotlače a farbiareň. Stálou a nenaplnenou zostáva požiadavka výstavby železničnej trate Podolínec - Orlov. Stavba sa nakoniec realizovala až v roku 1966. Administratívne bola Stará Ľubovňa sídlom okresu a okresných inštitúcií do roku 1960 a po ôsmich rokoch bol staroľubovniansky okres opäť obnovený. Veľmi nízky je prírastok obyvateľstva i v medzivojnovom období. V roku 1921 malo mesto 1 937 obyvateľov a v roku 1940 2 227.

Dynamickejšie sa Stará Ľubovňa rozvíja v povojnovom období. Výstavbou závodu Skrutkáreň, Vzorodevu, tehelní, podnikov miestneho hospodárstva a ďalších rástol i počet obyvateľov, menila sa jeho skladba a úroveň vzdelania. Zatiaľ čo v roku 1948 žilo v meste 2 162 obyvateľov, v roku 1991 už 13 995 obyvateľov.

Meštiansku školu získalo mesto v roku 1928; po druhej svetovej vojne roku 1948 bolo založené gymnázium, v roku 1960 poľnohospodárske učilište a sieť ďalších školských aj zdravotníckych zariadení. Dnešný stav námestia sa zhoduje so stredovekým jadrom, hoci pôvodná zástavba s arkádovými domami sa zachovala len v okolí kostola. Viaceré meštianske domy sú pôvodne renesančné, resp. neskororenesančné a prešli barokovo-klasicistickými a empírovými stavebnými úpravami. Zo sakrálnych stavebných pamiatok je najcennejší rímskokatolícky farský kostol sv. Mikuláša biskupa. Pôvodne ranogotická stavba prešla viacerými prestavbami a z pôvodnej jednoloďovej gotickej stavby je dnes trojloďovou barokovou stavbou. V roku 1995 bola ukončená výstavba nového gréckokatolíckeho chrámu. Zo svetských pamiatok najväčšiu pozornosť návštevníkov mesta upútava hrad. Posledným majiteľom bola rodina poľských šľachticov Zamoyskovcov. Po vojne bol hrad poštátnený a v 60. rokoch sa začala jeho pamiatková úprava. Dnes slúži ako vlastivedné múzeum.

V podhradí sa nachádza skanzen ľudovej architektúry, neďaleko sú Ľubovnianske kúpele a kúpeľné stredisko Vyšné Ružbachy so zaujímavým sochárskym areálom v travertínovom lome. Mesto je východiskom i do ďalších turisticky atraktívnych lokalít Spiša.

◀◀

72. Ľubovniansky hrad, juhozápadný bastión a centrálna veža

73. Panoráma Starej Ľubovne od hradu

74. Tržnica a severná časť mesta

75. Hotel Vrchovina

76. Námestie s rímskokatolíckym kostolom
sv. Mikuláša

77. Nový gréckokatolícky chrám Matky
Ustavičnej Pomoci

78. Pred mestským úradom

79. Provinčný dom na námestí

80. Pieniny, Prielom Dunajca pri Lesnici

81. Zrúcaniny Plavečského hradu

82. Kúpalisko vo Vyšných Ružbachoch

83. Panoráma Ľubovnianskeho hradu

84. Skanzen pod hradom

85. Ľubovnianske kúpele

Svidník

Známe podduklianske mesto Svidník sa nachádza v severnej časti Nízkych Beskýd na sútoku Ondavy s Ladomírkou.

Nie bez problémov sa historici vyjadrujú k najstaršej správe o tomto sídlisku. Vychádzajúc z jeho názvu usudzujú, že pôvodná osada mohla azda jestovať i pred 13. storočím. Záznam z roku 1334 môžeme považovať za najstarší doklad o jeho existencii (Sudnici). Patril do majetkového súboru panstva Stročín a jeho obyvateľstvo bolo katolícke, keďže svidnícky farár odvádzal cirkevný desiatok do pápežskej pokladnice. Začiatkom pätnásteho storočia (1414) vznikol druhý Svidník (Zuydnegh), ktorého obyvateľstvo malo vlastného pravoslávneho farára. Osada ležiaca pri pravom brehu Ladomírky dostala názov Vyšný Svidník a osada pri ľavom brehu sa nazývala Nižný Svidník. Od tohto storočia obidva Svidníky majú charakter rusínskych osád. V ďalších storočiach sa priaznivejšie vyvíjal Nižný Svidník, v ktorom začiatkom 17. storočia jestvuje kostol a fara, dom šoltýsa, 9 poddanských domov a majer, ktorý pozostával z kaštieľa, mlyna, píly, záhrady a stavísk pre hospodárske zvieratá. V miestnom kaštieli sa až do 19. storočia nachádzala úradná správa makovického panstva. V 18. storočí boli v Nižnom Svidníku valchovňa, mlyn, pálenica a pivovar. Pri prvom úradnom sčítaní obyvateľstva roku 1787 tu žilo 299 obyvateľov v 43 domoch. Do roku 1828 sa tento stav zvýšil na 47 domov a 374 obyvateľov.

Vo Vyšnom Svidníku bola filiálka tridsiatkového úradu. V roku 1567 tu hospodárilo 5 sedliackych domácností na polovičných a 4 na štvrtinových usadlostiach. Na prelome 16. a 17. storočia bolo v obci osem obývaných domov, ale aj zemepanský mlyn. Po skončených stavovských povstaniach začiatkom 18. storočia nachádzame mnoho opustených usadlostí. V priebehu 18. storočia sa vyvíjal dynamickejšie Vyšný Svidník, keďže počas sčítania ľudu v roku 1787 tu stálo 72 domov a v nich žilo 459 obyvateľov. O štyridsať rokov neskôr bolo v obci 75 domov a 584 obyvateľov. Roku 1806 pobudli v obci vojská generála Kutuzova. Od druhej polovice 19. storočia sa stal Vyšný Svidník sídlom okresu a toto postavenie si udržal i po vzniku Československej republiky. Táto i ďalšie skutočnosti pozitívne vplývali na jeho demografický rozvoj. V roku 1869 mal Vyšný Svidník 461 obyvateľov, Nižný Svidník iba 302. V roku 1921 to bol pomer 623:256 a v roku 1940 867:358.

Národnostne sa obyvateľstvo i v rokoch najtuhšej maďarizácie hlásilo vo väčšine k rusínskej národnosti, resp. jazyku. Roku 1930 sa k tejto národnosti vo Vyšnom Svidníku prihlásilo z celkového počtu obyvateľstva 668 - 61,4% a v Nižnom Svidníku z počtu 339 obyvateľov - 85,3%. Oba Svidníky sú v medzivojnovom období hospodársky nerozvinuté. Čiastočne sa však zlepšili aspoň možnosti spoločensko-kultúrneho rozvoja. Roku 1932 bola vo Vyšnom Svidníku otvorená meštianska škola, aktivitu vyvíja spolok A. Duchnoviča, roku 1934 sa začali premietať filmy.

Máloktoré dediny postihlo toľko vojnových hrôz, a to tak v prvej, ako i druhej svetovej vojne, ako oba Svidníky. Dukla a samotné mestečko Svidník sa stali natrvalo symbolom obetí druhej svetovej vojny.

Povojnové spriemyselnenie znamenalo pre tu žijúce obyvateľstvo fakt, že jeho celoživotným údelom už nie je len práca na poli a v lesoch. Výstavba odevných závodov, strojárskych závodov potravinárskeho priemyslu a viacerých podnikov miestneho významu urýchlili rast mestečka.

Ak v roku 1948 mal zlúčený Svidník 1 037 obyvateľov, v roku 1991 to bolo už 11 520 obyvateľov. Z tohto počtu sa 9 303 prihlásilo k národnosti slovenskej, 1 159 k národnosti rusínskej a zvyšok k ostatným národnostiam. Mestečko sa stalo spoločenským a kultúrnym centrom Rusínov a Ukrajincov na východnom Slovensku, a to nielen gymnáziom a múzeom ukrajínsko-rusínskej kultúry, ale i festivalom kultúry týchto národností (od roku 1954) a ďalšími podujatiami. Od roku 1959 je tu vojenské historické múzeum.

Najstaršou sakrálnou pamiatkou v meste je gréckokatolícky chrám z druhej polovice 18. storočia. Druhý gréckokatolícky chrám v klasicistickom slohu pochádza zo začiatku 19. storočia. V roku 1994 bol dokončený nový pravoslávny kostol, nový rímskokatolícky kostol je vo výstavbe. Okrem pamätných miest na Dukle a pomníka padlým vojakom vo Svidníku sú vyhľadávanými aj vzácne drevené kostolíky zo súboru národných kultúrnych pamiatok (napr. v obciach Dobroslava, Ladomirová, Šemetkovce, Miroľa a ďalších), ako aj skanzen ľudovej architektúry.

◄◄
86. Pohľad na mesto od skanzenu

87. Administratívna budova štátnej správy

88. Fontána na námestí

89. Moderná budova nemocnice

90. Budovy peňažných ústavov

1. Folklórny festival Rusínov - Ukrajincov

2. Areál vojenského múzea

93. Drevený ľudový dom v obci Vagrinec

94. Letecký pohľad na areál pamätníka
   sovietskych vojakov

95. Údolie smrti pri Kružlovej

96. Z folklórneho vystúpenia v skanzene

97. Drevený kostolík v Nižnom Komárniku

98. Ikona na dreve zo 16. storočia v expozícii galérie D. Millyho

99. Ikona Posledná večera z dreveného kostolíka v Miroli

100. Interiér gréckokatolíckeho chrámu sv. Paraskevy

101. Cintorín a pamätník československej armády na Dukle

PREDSTAVUJE SA VÁM FIRMA FRAGOPOLIS 1903, A.S. PREŠOV

Firma Fragopolis 1903, a.s. Prešov bola založená
rozhodnutím vlády SR č. 877 od 1.1.1994.

Jej počiatky však siahajú až do r. 1903, kedy bol v Prešove založený liehovar ako
akciová spoločnosť 22 veľkostatkárov - majiteľov poľnohospodárskych liehovarov
a jej výrobnou náplňou bolo spracovanie surového poľnohospodárskeho liehu.

Po roku 1933 sa liehovar zameral prevažne na výrobu rafinovaného liehu.
Po znárodnení rafinérií liehu bol vytvorený Východoslovenský liehový priemysel
so sídlom v Levoči. Neskôr, v roku 1958, bol zriadený celokrajský národný podnik -
Východoslovenské konzervárne a liehovary so sídlom v Sabinove, ktorý v roku 1969
prijal komerčný názov Frucona, národný podnik, so sídlom v Prešove.
V roku 1985 sa podnikové riaditeľstvo presťahovalo do Košíc.

Z dovtedajšieho závodu v Prešove bol od 1. septembra 1991 zriadený štátny podnik
FRAGOPOLIS Prešov, ktorý sa v rámci privatizácie od 1.1.1994 pretransformoval na
zamestnaneckú akciovú spoločnosť FRAGOPOLIS 1903 Prešov so sídlom v Prešove.

Hlavným predmetom činnosti je:
- výroba a predaj liehovín a liehového octu,
- výroba strojov pre potravinársky priemysel,
- obchodná činnosť v odbore potraviny, alko a nealko nápoje, potravinárske stroje.

Nosnou činnosťou akciovej spoločnosti je však výroba a predaj liehovín,
a to konzumných nesladených, konzumných sladených, rezaných destilátov, sladených
konzumných likérov, sladených značkových, nesladených značkových a pravých
destilátov, ktoré v súčasnom období dodáva pre viac ako dvetisíc odberateľov.

Vysokou kvalitou, o ktorú sa denne pričiňuje kolektív odborných pracovníkov,
obchodnými aktivitami i investíciou do propagácie si firma získala stabilné postavenie
na domácom trhu a naďalej rozvíja obchod so zahraničnými partnermi.

Fragopolis 1903
a.s. Prešov

Protifašistických bojovníkov 4, 081 15 Prešov; tel.: 091/731 155, 723 603; fax: 091/724 450

Vranov
nad Topľou

Toto starobylé zemplínske mesto je situované v severozápadnom výbežku Východoslovenskej nížiny na ľavom brehu Tople pod najjužnejšími svahmi Ondavskej vrchoviny.

Dokázateľne patrí k najstaršej skupine slovansko-sloviensKych sídlisk Zemplína. Po prvýkrát sa s ním stretávame v registroch pápežského desiatku z rokov 1333 - 1337, kde sa spomína farár Štefan z Vranova (Stephanus de Warano). Je súčasťou rozsiahleho čičvianskeho hradného panstva, ktoré od roku 1270 až do začiatku 16. storočia vlastnili šľachtici z Rozhanoviec (Rozgoňovci). Zo všetkých obcí panstva mal Vranov najpriaznivejšie podmienky rozvoja. Využil jednak priaznivú polohu na starej obchodnej ceste, ale i funkčné postavenie príslušníkov rozgoňovského rodu. Privilégiom Ľudovíta I. z roku 1350 sa legalizovala stará trhová tradícia, roku 1461 získal Vranov právo skladu a v tom istom storočí i právo jarmoku. Už od 14. storočia má teda Vranov všetky znaky poddanského mestečka (oppida). Páni z Rozhanoviec opustili hrad Čičvu a nechali si vo Vranove vybudovať hrad. V ďalšom storočí pribudol františkánsky kláštor. Okolo roku 1540 tu bola zriadená tridsiatková stanica ako filiálka kráľovského colného úradu v Košiciach. Po vymretí mužskej vetvy pánov z Rozhanoviec v roku 1523 ich majetky pripadli Bátoryovcom. Práve vo Vranove, resp. na hrade Čičva sa roku 1575 konala svadba Františka Nádašdyho s Alžbetou Bátoryovou. Pod vplyvom reformácie Bátoryovci zriadili vo Vranove evanjelické humanistické gymnázium, ktoré zaniklo v priebehu 17. storočia. Roku 1672 boli do Vranova povolaní pavlíni, aby urýchlili rekatolizáciu tunajšieho obyvateľstva.

Mestečko si veľa vytrpelo počas stavovských povstaní v 17. storočí a začiatkom 18. storočia. Významnejšie postavenie v tomto období si udržalo tým, že sa na istý čas stalo sídlom župných kongregácií. Časti majetkov vo Vranove získali i príslušníci ďalších šľachtických rodov - Ňáryovci, Esterházyovci, Drugetovci, Barkóciovci, Forgáčovci a i.

Miestni remeselníci si vytvárali cechy, z ktorých najstaršie boli cechy vranovských ševcov a krajčírov (pred rokom 1570). Čižmársky cech bol založený v roku 1725. Desať rokov predtým mal Vranov 36 obývaných a 13 opustených domácností. Pri prvom sčítaní obyvateľstva Uhorska v roku 1787 žilo v 141 domoch 1 033 obyvateľov. V známom roľníckom povstaní roku 1831 zohral Vranov a jeho okolie významnú úlohu. Z celej Zemplínskej stolice mali udalosti práve v tunajšom okolí najdramatickejší priebeh. Povstalci zabili 12 osôb, pravda, štatariálne súdy len vo vranovsko-zámutovskej oblasti odsúdili na smrť obesením 41 povstalcov.

Od druhej polovice 19. storočia sa stal Vranov sídlom okresného úradu a ďalších okresných inštitúcií až do roku 1960. Po krátkej prestávke mu bol okres vrátený (od roku 1968). Až do konca druhej svetovej vojny vo svojom vývoji stagnoval. Veď ak roku 1869 mal 2 001 obyvateľov, roku 1921 to bolo 2 282 obyvateľov. Prudké tempo v rozvoji je evidentné po roku 1948, keď v meste žilo 3 905 obyvateľov do roku 1991, keď mal Vranov 22 487 obyvateľov.

Udalosťami osobitného významu boli výstavby železničných tratí Trebišov - Vranov (1903) a Prešov - Vranov - Strážske (1943).

V rokoch druhej svetovej vojny v okolitých lesoch vyvíjali protifašistickú činnosť partizánska brigáda Čapajev a partizánska skupina S. A. Osčepkova.

Rímskokatolícky farský kostol Panny Márie bol postavený roku 1580. Predstavuje typ neskorogotickej monumentálne sakrálnej stavby. Baroková výzdoba interiéru (oltáre a kazateľnica od J. Hartmanna, zvyšky freskovej výzdoby od J. L. Krackera) pochádza z 18. storočia. Vranovský kostol opatruje vzácnu liturgickú súpravu od levočského zlatníka J. Silášiho. Roku 1672 bol k severnej stene kostola pribudovaný kláštor pavlínov. V jeho interiéri sa nachádza freska z roku 1765 od J. L. Krackera. K evanjelickému kostolu a kostolu reformovanej cirkvi (obidva z 20. storočia) pribudol v roku 1993 gréckokatolícky chrám Najsvätejšej Eucharistie a pred dokončením je rímskokatolícky kostol. V miestnej časti Čemerné je rímskokatolícky kostol sv. Anny a gréckokatolícky chrám Nanebovzatia Panny Márie. Náhrobníky na židovskom cintoríne sú z 18. - 20. storočia. Historicky najcennejšou stredovekou pamiatkou v okolí Vranova je hrad Čičva. V obciach Soľ, Kučín, Nižný Hrušov stoja pôvodne gotické kostoly. Vranov je východiskovým miestom do chránených prírodných rezervácií v Slanských horách, ale i na veľké vodné dielo Domaša.

◄◄

102. Centrum Vranova nad Topľou

103. Slnečné hodiny na kostole evanjelickej
reformovanej cirkvi

104. Budova výrobného družstva Zemplín

105. Celkový pohľad na Vranov nad Topľou,
v pozadí Slanské vrchy

106. Mestské kultúrne stredisko

107. Barokový interiér rímskokatolíckeho
kostola

108. Rímskokatolícky kostol Panny Márie

109. Gréckokatolícky chrám Najsvätejšej
Eucharistie

110. Interiér gréckokatolíckeho chrámu
v Čemernom

111. Podvečer na Domaši

112. Plavba na priehrade Domaša

113. Zrúcaniny hradu Čičva

114. Rankovské skaly v Slanských vrchoch

115. V Údolí obrov

116. Stredisko Holčíkovce na Domaši

117. Kemping v stredisku Kelča

118. Jar pod Slanskými vrchmi

Snina

Najvýchodnejšie ležiace mesto Zemplína sa rozprestiera v doline sútoku Pčolinky s Cirochou, obkolesené lesmi Nízkych Beskýd a Vihorlatu.

Je len otázkou ďalšieho systematického archeologického výskumu, aby sa potvrdila téza o slovanskom osídlení spred 13. storočia i v tejto lokalite. Historici sa už dnes zhodujú v tom, že v údolí Cirochy bola na zvykovom práve najneskôr koncom 13. storočia okrem iných osád založená i Snina. Písomne je však doložená až roku 1343 (Zynna). Až do roku 1684 je vo vlastníctve humenských Drugetovcov. Najstarší súpis port zo Sniny je z roku 1567 a bolo tu 22 a pol porty. Od platenia daní boli oslobodení 9 želiari a jeden slobodník. Podľa súpisu z roku 1598 bolo v Snine 75 domov. Hoci Snina získala trhové právo len roku 1838, nesporne toto právo tu jestvovalo v nelegalizovanej podobe i v predchádzajúcich storočiach, keďže v písomných prameňoch sa už v 16. storočí uvádza ako mestečko (oppidum). Je nesporné, že zo všetkých okolitých obcí sa Snina vyvíjala najdynamickejšie, stala sa prirodzeným centrom najbližších piatich obcí, ako to vidieť z archívnych materiálov z roku 1683, keď sa drugetovský majetok členil na menšie panstvá. Mestečko Snina s kúriou a piatimi obcami predstavovali samostatnú jednotku. Kúria ako aj priľahlé hospodárske budovy boli postavené z dreva. V roku 1612 bolo v mestečku 47 poddanských a 31 želiarskych rodín. Aký vplyv mali stavovské nepokoje a rôzne epidémie na tu žijúce obyvateľstvo, môžeme posúdiť na základe súpisu z roku 1691, keď tu bolo už len 23 poddaných, žiaden želiar, ale 24 opustených usadlostí. Hospodárska stagnácia pretrváva i v 18. storočí. V rokoch 1720 - 1721 bolo v mestečku len 17 sedliackych a 13 želiarskych rodín (len dve maďarskej národnosti). Z prvého oficiálneho sčítania obyvateľov Uhorska vyplýva, že v Snine bolo v roku 1787 195 domov a 1430 obyvateľov. Na prvý pohľad je impozantný vzrast počtu domov a obyvateľov v porovnaní so začiatkom 18. storočia, ale ešte viac prekvapuje nárast do roku 1828, keď Snina mala 294 domov, t.j. takmer o sto viac a počet obyvateľov dosiahol 1 947, čiže vzrástol o vyše päťsto. Vysvetlenie je nasledujúce: v roku 1799 odkúpil Sninu a dedinku Valaškovce od grófskej rodiny Wan Dernátovcov železiarsky magnát Jozef Rholl, ktorý roku 1815 založil v mestečku železiarne a hámre. Vyrábali sa tu klince, lopaty, kosy a iné poľnohospodárske nástroje, ale aj liatinové výrobky, riad, svietniky atď. Práve rozvoj spojený s týmto podnikom podporil uvedený demografický nárast. V druhej polovici 19. storočia sa dostali železiarne do hospodárskych ťažkostí, ktoré viedli začiatkom 20. storočia k ich zániku. Pokles výroby a tým strata pracovných príležitostí vyvolali vysťahovaleckú „horúčku", ktorá mala za následok pokles počtu obyvateľov v mestečku z 2 329 v roku 1869 na 2 197 v roku 1880. Domáce obyvateľstvo sa začína živiť okrem poľnohospodárstva prácou v lesoch, pálením uhlia, šindliarstvom a pod.

I pri spomenutých ťažkostiach si mestečko udržiava svoj štatút, a to najmä zásluhou vyšších vládnych orgánov, ktoré rozhodli, že od roku 1876 tu bude sídliť slúžnovský úrad, premenovaný v roku 1923 na okresný úrad. Postavenie okresného sídla si Snina udržala do roku 1960, keď bol zrušený okresný národný výbor a mestečko s okolitými dedinami sa dostali administratívne do okresu Humenné. Významnou udalosťou krátko pred vypuknutím prvej svetovej vojny bolo ukončenie železničnej trate Humenné - Snina - Stakčín (v rokoch 1909 - 1912).

Snina síce nebola vojnovými udalosťami 1914 - 1915 postihnutá priamo, ale okolité obce boli silne poškodené.

V medzivojnovom období patril Sninský okres k najzaostalejším v republike. K povojnovému rozvoju prispela predovšetkým výstavba závodov Vihorlat a JAS. Boli vybudované viaceré školské, kultúrne i zdravotnícke zariadenia. Z významných osobností pracoval v Snine v rokoch 1915 - 1944 chýrny liečiteľ MUDr. A. Hoffmann. Pomník rusínskemu buditeľovi A. Duchnovičovi je postavený v Topoli.

Rímskokatolícky kostol z polovice 18. storočia bol prestavaný v roku 1992 a zasvätený Panne Márii Snežnej. Kaplnka Sedembolestnej Panny Márie na kalvárii je z polovice 19. storočia. Nový chrám si postavili v roku 1992 aj gréckokatolícki veriaci.

Budova kaštieľa je z konca 18. storočia a studňa na nádvorí so sochou Herkulesa sú z roku 1841 (uliate v bývalých hámroch). Snina má prekrásne okolie, vcelku neporušenú prírodu, možnosti rekreácie na neďalekých rybníkoch. Prírodným klenotom je Morské oko pod Sninským kameňom. Vyhľadávané sú drevené kostoly v Hrabovej Roztoke, Novej Sedlici, Ruskom Potoku, Kalnej Roztoke, Topoli a v ďalších lokalitách.

◄◄
119. Rímskokatolícky kostol Panny Márie
Snežnej

120. Pohľad na novú Sninu

121. Socha Herkulesa pri kaštieli

122. Obchodný dom Herkules

123. Nový gréckokatolícky chrám

124. Plastika na sninskom námestí

125. Panoráma Sniny od západu

126. Kúpalisko Rybníky pri Snine

127. Zátišie na jazere Morské oko

128. Novoroční koledníci z obce Ulič

129. Pohľad zo Sninského kameňa

Stropkov

Toto hospodárske, ale aj spoločensko-kultúrne centrum severného Zemplína vzniklo na ľavom brehu Ondavy v prekrásnej scenérii centrálnej časti Ondavskej vrchoviny.

Počiatky Stropkova, ako staroslovanskej osady, treba hľadať (a v tom sa väčšina archeológov a historikov vzácne zhoduje) pred 13. storočím. Charakter námestia je dôkazom, že Stropkov sa nachádzal na kráľovskej pôde a že je tu podobnosť v analogickom vývoji s Bardejovom. Prvé hodnoverné písomné správy o mestečku pochádzajú až z roku 1404 (Stropko), ale už v nej je Stropkov označený ako oppidum - mestečko. Nemeckí hostia i šoltýs dostali pravdepodobne také výsady, aké mali ich súkmeňovci v Bardejove a inde. Po kráľovi prvým doloženým majiteľom mestečka bol Ladislav Svätojurský. Po ňom to boli Balickovci, Perínskovci, Peteovci a iní. V roku 1408 sa prvýkrát spomína mestské mýto a kaštieľ - castellum. Rozvoju obchodu aj celkovému hospodárskemu vzostupu napomáhalo právo tridsiatku a trh, ktorý bol roku 1698 Leopoldom I. posilnený šiestimi výročnými jarmokmi. Stropkovskému panstvu v tomto období patrilo 51 obcí. Ojedinelým prípadom v dejinách Slovenska je existencia stropkovského tzv. veľkého cechu, ktorého artikuly pochádzajú z roku 1575. V tomto cechu sa združili zlatníci, debnári, krajčíri, kožušníci, mäsiari, stolári, sedlári, remenári, mečiari, sládkovia, ale aj chirurgovia (holiči) a obchodníci. Remeselníci zo Stropkova boli známi nielen na domácom trhu, ale svoje výrobky predávali i na trhoch v ďalších zemplínskych či šarišských mestečkách.

Úspešne sa rozvíjajúceho mestečka sa bolestne dotkli najmä stavovské povstania Imricha Tökölyho a Františka II. Rákociho. Vidieť to z krajinského súpisu z roku 1715, podľa ktorého v Stropkove žilo iba sedem mešťanov platiacich dane a 37 želiarov. Keď v roku 1764 vymrela rodina Peteovcov (po mužskej vetve), stropkovské panstvo bolo rozdelené na šesť častí, medzi nimi boli Stáraiovci, Hallerovci, Keglevičovci, Dežőfiovci, Véčeiovci a Barkóciovci. V roku 1785 malo mestečko 204 domov a 1326 obyvateľov. Bolo tretím najľudnatejším mestečkom Zemplína a počtom 87 remeselníkov (roku 1778) bolo hneď po Humennom druhým najväčším remeselníckym centrom. V tomto období sa stalo i sídlom jedného z piatich okresov Zemplínskej stolice. Sídlom okresu bol Stropkov i po rokoch 1848, 1918 a 1945, až do roku 1960.

Od 18. storočia mestečko postupne upadalo. Roku 1828 malo 301 domov a 2250 obyvateľov. O stagnácii hovoria i ďalšie čísla: v roku 1869 tu žilo 2502 obyvateľov, ale v roku 1900 iba 2276. Po roku 1870 môžeme totiž hovoriť o masovom vysťahovalectve tunajšieho obyvateľstva do zámoria.

V medzivojnovom období patril Stropkov a jeho okres medzi najzaostalejšie a najubiedenejšie regióny Slovenska. Okrem poľnohospodárstva poskytovala obživu iba remeselná výroba a práca v lesoch. V rokoch druhej svetovej vojny pokračoval hospodársky pokles. Stropkov mal v roku 1940 487 domov a 3 311 obyvateľov. Pri všetkej zložitosti povojnového vývoja nemožno nevidieť, že výstavbou závodu Tesla a ďalších podnikov v meste došlo k zásadnej zmene v demografii i v infraštruktúre. Ak v roku 1950 žilo v meste 2 695 obyvateľov, v roku 1991 to už bolo 9 719.

Hoci prvá správa o škole je až z roku 1515, je nesporné, že škola tu bola i v predchádzajúcom storočí. Už v 17. storočí sa v Stropkove usadili františkáni - minoriti. Roku 1921 bol v meste založený prvý kláštor redemptoristov na Slovensku.

Zvyšky niekdajšieho stropkovského hradu sa nachádzajú v poschodovej budove kaštieľa na východnej strane farského kostola. Rímskokatolícky farský kostol Najsvätejšieho Tela Kristovho pochádza zo 14. storočia. Roku 1675 bol prestavaný s použitím gotickej hradnej kaplnky. Vnútorná baroková výzdoba je z 18. storočia. Kostol a kláštor františkánov je baroková stavba z roku 1673 s klasicistickou fasádou z konca 18. storočia. Gréckokatolícky chrám bol postavený roku 1947. Židovské synagógy sa nezachovali.

Len necelých dvadsať kilometrov od Stropkova je jedna z najatraktívnejších rekreačných oblastí východného Slovenska - vodná nádrž Domaša. Cestou k Domaši sa nachádza obec Tokajík, známa pamätníkom obetiam tokajíckej tragédie z novembra 1944.

135. Priehrada Domaša, kemping Tíšava
v stredisku Valkov

136. Tradičné jazdecké preteky o Zlatú
podkovu

137. Pár z folklórneho súboru Stropkovčan

138. Severná časť priehrady Domaša

Úprimne ma potešil vznik tejto publikácie. Severovýchodné Slovensko patrí medzi tie časti našej vlasti, ktoré majú byť na čo pyšné. Krása gotických katedrál, blahodarnosť našich kúpeľov, poézia prírodných scenérií, to všetko právom patrí k jeho obdivuhodnostiam.

Vážení priatelia milí spoluobčania

No najdôležitejší sú vždy ľudia - naši spoluobčania. A Vaša spokojnosť - to je jeden z hlavných cieľov Poľnobanky.

Neboli by sme dobrou bankou, keby sme sa snažili iba o kvalitné služby. Nie je nám ľahostajná situácia v školstve, zdravotníctve, kultúre. Preto, i keď skromným dielom, robíme všetko pre to, aby život v našom regióne bol dôstojnejší. Aby ste si mohli povedať, že sme skutočne Vaša banka.

Ing. Ľubomír Šarník,
riaditeľ filiálky Poľnobanky v Prešove

POĽNOBANKA

Filiálka Prešov, Kúpeľná 6, tel.: 091/72 21 35
Zastupiteľstvo Bardejov, Dlhý rad 17, tel.: 0935/67 45

Sabinov

Severozápadne od Prešova, v doline Torysy, medzi Šarišskou vrchovinou a Čergovským pohorím sa nachádza bývalé slobodné kráľovské mesto Sabinov.

Historická veda potvrdzuje, že ranostredoveká osada Sabinov svojimi počiatkami siaha ďaleko pred rok 1248, keď je prvá písomná zmienka o jeho existencii (Sceben). Podobne ako napríklad pri Prešove pôvodnými obyvateľmi pred 13. storočím boli Slováci, u ktorých jestvovala trhová tradícia a táto zrejme spolu s výhodnou polohou na starej obchodnej ceste toryskou dolinou rozhodla o príchode nemeckých hostí do Sabinova (v prvej polovici 13. storočia). Predovšetkým im bolo adresované mestské privilégium kráľa Ondreja III. z roku 1299, ktoré platilo i pre obyvateľov Prešova a Veľkého Šariša. Zavŕšením stredovekého mestského vývoja je pre Sabinovčanov privilégium Mateja Korvína z roku 1472, rozširujúce ich dovtedajšie práva na také, aké malo slobodné kráľovské mesto Košice.

V 15. storočí sa Sabinova bezprostredne dotkli udalosti späté s pobytom bratríkov na tomto území. Nechýbala snaha feudálov zmocniť sa Sabinova a urobiť ho zemepanským mestečkom, koncom storočia ho obsadili vojská poľského kráľa Jána Alberta. Začiatkom 16. storočia kráľ Vladislav II. zálohoval mesto Imrichovi z Perína, až kým ho nevykúpil Ľudovít II. Začiatkom druhej polovice 16. storočia žilo v meste dvetisíc obyvateľov. Tvrdo doliehali na Sabinovčanov straty zapríčinené protihabsburskými stavovskými povstaniami. Remeslá a obchod upadali, postavenie bývalého kráľovského mesta strácalo na sláve a lesku. Roku 1715 bolo v meste len 148 a roku 1720 iba 113 zdanených obyvateľov.

K postupnému oživeniu dochádza až v druhej polovici 18. storočia, keď pribudli v Sabinove niektoré podniky (papiereň, liehovar, pivovar, tehelňa). V poľnohospodárstve, v obchode a remeslách sa naďalej prejavuje stagnácia. Špecifikom Sabinova a okolia sa stáva ovocinárstvo. V roku 1828 mal Sabinov 434 domov a 2780 obyvateľov. Hoci koncom 19. storočia pribudla v meste továreň na kefy a začiatkom 20. storočia elektráreň, na rozvoji mesta to nebolo badať. Nedostatok pracovných príležitostí a doliehajúca bieda nútili k vysťahovalectvu. Poznať to aj na číselných údajoch o vývoji obyvateľstva. Ak v roku 1869 žilo v Sabinove 3 078 obyvateľov, tak do roku 1910 sa ich počet dokonca znížil na 3 016 obyvateľov.

V medzivojnovom období si zachoval Sabinov poľnohospodársko - remeselnícko - živnostnícky charakter. K dynamickému rozvoju dochádza až po druhej svetovej vojne, keď tu vyrástlo niekoľko moderných priemyselných podnikov a zmenila sa celková vybavenosť mesta. Demografický vývoj je len jedným z ukazovateľov týchto premien: v roku 1948 žilo v Sabinove 4 432 obyvateľov, do roku 1991 sa tento počet zvýšil na 10 657.

Sabinov má bohaté kultúrne dejiny. Od začiatku 15. storočia je doložená existencia školy (hoci určite jestvovala skôr). Po prijatí luteránstva sabinovská mestská škola zaznamenala veľký rozmach. Medzi rektormi školy (od roku 1571) nachádzame celý rad vynikajúcich osobností pedagogiky. Osobitné miesto zaujíma Ján Stöckel, syn známeho bardejovského reformátora Leonarda Stöckela. Zoznam učiteľov-rektorov končí až v 18. storočí, kedy evanjelické školstvo bolo nahradené katolíckym. Roku 1740 prišli do Sabinova piaristi a zriadili tu gymnázium. Vedľa neho existovala mestská základná škola. V 20. storočí sa v meste udomácnili stredné školy s hospodárskym zameraním (liehovarnícka, poľnohospodárska, ekonomická).

Sabinov je rodiskom takých osobností, akými sú prírodovedec J. Buchholtz a maliar M.T.Kosztka - Csontváry. V meste pôsobili herec a režisér J. Borodáč, spisovateľka J. Cirbusová, ľudovýchovný pracovník S. Fabry a štúrovský básnik B. Nosák-Nezabudov.

Dodnes sa v Sabinove zachovala časť systému mestského opevnenia. Meštianske domy na námestí boli postavené na starších pôdorysoch neskorogotických radových alebo renesančných domov. Rímskokatolícky farský kostol Sťatia sv. Jána Krstiteľa je gotický, postavený začiatkom 14. storočia. Dva kostoly evanjelickej cirkvi augsburského vierovyznania sú klasicistické stavby typu tolerančných chrámov z konca 18. a začiatku 19. storočia. Gréckokatolícky chrám sv. Juraja bol postavený začiatkom 20. storočia. Bývalé evanjelické lýceum je renesančná budova zo 16. storočia, v 18. storočí prestavaná na piaristické gymnázium (dnes je tu múzeum).

Nielen pre Sabinovčanov, ale i pre obyvateľov susedných okresov a zahraničných návštevníkov je rekreačná oblasť Drienica vyhľadávaným miestom pre letnú, ale najmä zimnú turistiku.

143. Panoráma Sabinova od severu

144. Ženská spevácka skupina zo Šarišských Michalian

145. Zrúcaniny Hanigovského hradu

146. Lyžiarsky areál Drienica - Lysá

Medzilaborce

V severnej časti Nízkych Beskýd, niekoľko kilometrov od hranice s Poľskom, na sútoku Laborca s Vydrankou ležia Medzilaborce, významné stredisko Rusínov a Ukrajincov na Slovensku.

Stredoveká osada bola založená pravdepodobne v druhej polovici 15. storočia, kedy zásluhou humenských Drugetovcov sa uskutočnila druhá fáza valašskej kolonizácie. Obyvateľstvo, ktoré stálo pri jej zrode, pozostávalo prevažne z rusínskeho, ale aj poľského a v menšej miere i valašského obyvateľstva, ktoré sa síce venovalo aj pastierstvu, ale v tejto fáze kolonizácie malo už prevahu obyvateľstvo roľnícke. Najstaršia zmienka v listinných dokumentoch je až z roku 1543 (Kis Laborcz). Vo vlastníctve Drugetovcov sa nachádzali do roku 1684, keď sa stali majetkom grófskej rodiny Čákiovcov a od prvej polovice 19. storočia patrili rodine Andrášiovcov.

Medzilaborce patria spolu so Svidníkom k tým obciam založeným na valašskom práve, ktoré charakter mestečiek nadobudli postupným vývojom (a nie získaním výsad). Predpokladom pre takúto postupnú transformáciu z poddanskej obce na mestečko bola okrem iného i poloha na starej obchodnej ceste z Potisia do Haliče, ktorá sa v strede Medzilaboriec rozvetvovala dvoma smermi - cez Čertižné a cez Vydraň.

V roku 1557 pozostávali Medzilaborce z 10 usadlostí a v roku 1715 už mali 18 obývaných, 39 opustených usadlostí a dva mlyny. Do roku 1787 sa Medzilaborce rozrástli na 106 domov a 719 obyvateľov.

Neudržateľné sociálne a hospodárske pomery tu žijúceho rusínskeho obyvateľstva spôsobili, že od 16. storočia sa mená medzilaboreckých poddaných objavujú v zoznamoch zbojníckych družín, pôsobiacich na obidvoch stranách uhorsko-poľskej hranice (na panstve humenskom a sanockom). Ďalšou formou odporu voči zosilnenému útlaku zemepána boli časté úteky poddaných z pôdy. Po skončení stavovských povstaní Františka II. Rákociho nachádzame v Medzilaborciach roku 1720 až 39 opustených usadlostí. Obyvatelia najčastejšie utekali do južných stolíc Uhorska, ale i do Poľska. Opustené usadlosti si od panstva prenajímajú židovskí nájomcovia.

Za takýchto pomerov bolo zrušenie poddanstva nesporne veľkým revolučným činom. Od poddanských povinností boli oslobodení aspoň urbariálni poddaní. Politicky sa priebeh revolúcie v rokoch 1848 - 1849 dotkol i Medzilaborčanov, a to v máji 1849, keď sa na území chotárov Medzilaboriec, Borova a Habury stretli vojská ruského cára s uhorskými honvédmi.

K staršej nekodifikovanej tradícii trhov v Medzilaborciach pribudlo od roku 1859 povolenie na konanie krajinských jarmokov, ktorým sa urýchlil mestotvorný proces. K výraznejšiemu napredovaniu Medzilaboriec prispelo i odovzdanie železničnej trate Humenné - Medzilaborce do užívania dňa 12. júna 1873. Posledným činom, dotvárajúcim mestský charakter Medzilaboriec, bolo zriadenie sídla slúžnovského úradu (koncom 19. storočia). Tieto pozitívne kroky vo vzťahu k mestečku a jeho obyvateľstvu sa čiastočne odrazili i v jeho demografickom rozvoji. Ak v roku 1851 mali Medzilaborce 724 obyvateľov, do roku 1910 ich počet vzrástol na dvojnásobok (1 561). V roku 1880 tu bolo 143 domov, v roku 1910 už 226.

Relatívne priaznivý rozvoj začiatkom 20. storočia prerušili vojnové udalosti v zimných mesiacoch 1914 - 1915. Začiatkom februára 1915 bolo mestečko dobyté ruskými vojskami, ktoré sa tu zdržali až do začiatku mája 1915. Ostalo po nich zničené mesto a tisíce mŕtvych vojakov na obidvoch stranách. Vojenské cintoríny sú dodnes svedectvom tejto hrôzy. Rany celkom nestačili zahojiť ani dve desaťročia ČSR a už druhá svetová vojna priniesla ešte väčšie škody. Mestečko sa až do roku 1960 udržalo ako sídlo okresu. Potom bolo začlenené do okresu Humenné.

Obdobie po druhej svetovej vojne znamenalo základnú prestavbu Medzilaboriec. Ak v roku 1948 žilo v meste 1 936 obyvateľov, tak v roku 1991 ich bolo 6 353. Významné premeny nastali v ekonomike, na úseku vybavenosti mesta, školstva, zdravotníctva a kultúry. Rusíni a Ukrajinci Slovenska tu každoročne usporiadávajú festivaly kultúry a športu, drámy a umeleckého slova. Od roku 1991 je tu Múzeum moderného umenia rodiny Warholovcov.

Najstaršou cirkevnou pamiatkou mesta je gréckokatolícky chrám sv. Bazila Veľkého z konca 18. storočia. Rímskokatolícky kostol Panny Márie je z roku 1903 a dominantou mesta je pravoslávny kostol z roku 1949, postavený v staroruskom renesančnom slohu.

Prekrásna je príroda v okolí Medzilaboriec. Ponúka možnosti letnej i zimnej rekreácie a turistiky.

153. Lesy na karpatskom hrebeni

154. Celkový pohľad na Medzilaborce

155. Pamätník osloboditeľom v Kalinove

156. Ženská spevácka skupina z Čertižného

157. Krajina v okolí Kalinova

Veľký Šariš

Administratívne sídlo bývalej Šarišskej stolice leží pod hlavným komitátnym hradom tejto stolice už viac ako sedem a pol storočí.

Je nesporným faktom, že Veľký Šariš, ktorý sa v listinách po prvýkrát objavuje roku 1217 (Sarus) je jednou z najstarších slovanských lokalít Šariša. Už v polovici 13. storočia predstavuje zaujímavú sídelnú jednotku, keďže sa tu usadili nielen saskí prisťahovalci, ale i mnísi augustiáni z Poľska, ktorí tu pôsobili do polovice 16. storočia. Privilegiálna listina z roku 1299 od Ondreja III. udeľuje obyvateľom Veľkého Šariša mestské výsady. O sto rokov neskôr získali od kráľa Žigmunda oslobodenie od platenia mýta v mýtnych staniciach Šarišskej stolice. Postavenie Veľkého Šariša ako súčasti kráľovského panstva Šariš brzdilo jeho napredovanie a urobilo z neho poddanské mestečko. Hoci koncom 16. storočia bol Veľký Šariš nielen najväčším, ale aj najvýznamnejším mestečkom v Šarišskej stolici, ambície tunajších mešťanov to nemohlo uspokojiť, ak porovnali vývoj svojho mestečka s postavením Prešova a Sabinova, s ktorými roku 1299 získali spomenuté mestské výsady. Roku 1600 bolo vo Veľkom Šariši 155 obývaných domov, kým Sabinov už v roku 1566 mal 265 domov.

Dejiny mestečka boli neodmysliteľne späté s osudom hradu Šariš, ktorého existencia je zrejmá už v 12. storočí, hoci prvá písomná správa je z roku 1262 (castrum Sarus). Vybudovali ho z podnetu uhorského panovníka a funkciu komitátneho hradu mu predurčila predovšetkým jeho jedinečná poloha s možnosťou kontroly a ovládania širokého okolia, najmä dôležitých obchodných ciest.

Obyvatelia Veľkého Šariša boli síce prevažne roľníkmi, avšak stará trhová tradícia a od roku 1635 i jarmočné právo urýchlili ich záujem o remeslá a obchod. Stali sa z nich známi garbiari, plátenníci a čižmári. Tu sa sústreďoval predaj železných výrobkov, hlineného a dreveného domáceho riadu i poľnohospodárskych nástrojov.

Zo začiatku 16. storočia pochádza prvá správa o škole. Počas reformácie tu zriadili mestskú latinskú školu, ktorá jestvovala od roku 1570 do začiatku 18. storočia.

Stavovské nepokoje v sedemnástom a začiatkom osemnásteho storočia ťažko doľahli na mestečko, keďže jedným zo zemepánov bola i rodina Rákociovcov. K oživeniu dochádza koncom 18. storočia, ale najmä v 19. storočí. V roku 1787 malo mestečko 217 domov a 1 818 obyvateľov, v roku 1828 už 378 domov a 2 792 obyvateľov. V druhej polovici 19. storočia sa Veľký Šariš preslávil výstavbou moderného parného mlyna (1856) a súkenkou (1863). Pravda, ani tieto podniky nemohli zabrániť hľadaniu pracovných príležitostí za hranicami Uhorska. Medzi rokmi 1869, kedy V. Šariš mal 2 775 obyvateľov a rokom 1910 s 2 472 obyvateľmi, je obdobie demografickej stagnácie, resp. až poklesu.

Ani obdobie Československej republiky neprináša zásadnú zmenu vo vývoji V. Šariša. Okrem parného mlyna nieto ďalších podnikov, ktoré by zlepšili situáciu na vtedajšom trhu práce. Ustupujúce nemecké vojská takmer úplne zničili strojové zariadenie veľkošarišského mlyna. Za roky 1921 - 1940 vzrástol počet obyvateľov z 2 540 na 3 274. Nemožno nespomenúť, že od roku 1919, kedy vznikol prvý futbalový klub sa športu venovala veľká pozornosť. Okrem futbalu sa rozvíjal volejbal a čiastočne ľadový hokej. V medzivojnovom období tu žil Jozef Tomášik-Dumín, spisovateľ a básnik, pochovaný na tunajšom cintoríne.

Povojnový, resp. súčasný Veľký Šariš charakterizuje výstavba menších prevádzkární, zriadenie plemenárskeho ústavu (1962), ale najmä širokopresláv: šarišského pivovaru (1967).

Šarišský hrad od roku 1687 leží v ruinách. V 15. storočí jeho kastelánmi boli českí bojovníci Jána Jiskru a v 16. storočí kapitánom hradu bol známy humanistický vzdelanec Juraj Werhner, autor spisu O podivuhodných vodách Uhorska.

Bývalý renesančný kaštieľ Rákociovcov bol po vážnom poškodení na sklonku druhej svetovej vojny zbúraný.

Zo sakrálnych pamiatok najhodnotnejšou je rímskokatolícky kostol sv. Jakuba st. z druhej polovice 13. storočia. Na cintoríne sa nachádza kaplnka sv. Alžbety, postavená v barokovom slohu koncom 17. storočia. V bývalom parku kaštieľa je vzácna gotická kaplnka z polovice 14. storočia.

Šarišský hradný vrch je prírodnou rezerváciou.

◄◄
158. Vstupná časť zrúcanín Šarišského hradu

159. Budova mestského úradu

160. - 161. Z osláv 775. výročia mesta

162. Rímskokatolícky kostol sv. Jakuba

163. Šarišská kotlina z úbočia hradného vrchu

164. Chránené lesné porasty na hradnom vrchu

165. Krajina pod Šarišským hradom

Lipany

Severozápadne od Sabinova, na hornom toku Torysy medzi Šarišskou vrchovinou a Čergovským pohorím, sa rozprestierajú Lipany.

V prvých dvoch listinách zo začiatku 14. storočia sa vyskytuje meno lipianskeho farára Henryka, čo dovoľuje historikom bezpečne usudzovať, že Lipany jestvovali už pred týmto storočím. V najstaršej listine z roku 1312 sa osada nazýva Sedem líp (Septem Tiliis). Maďarská podoba názvu bola Héthárs a nemecká Sybunlendum (v tom istom význame). Lipany boli osídlené na domácom zvykovom práve ako slovanská osada. Nemeckí hostia sa tu usadili niekedy na konci 13. storočia. Lákala ich výhodná poloha osady na starej obchodnej ceste z Potisia do Poľska, ktorá sa tu rozvetvovala smerom na Plaveč a na Brezovicu a priaznivo vplývala na udomácnenie sa pravidelného týždenného trhu. Tento je písomne doložený začiatkom 15. storočia a z tohto obdobia pochádzajú doklady o Lipanoch ako zemepanskom mestečku (oppidum). Ich vlastníkom boli šľachtici z Brezovice (a Kamenice), ktorí si na prelome 13. a 14. storočia dali nad dedinou Kamenica vybudovať rovnomenný hrad. V polovici 16. storočia už patrili Tárcaiovcom, u ktorých sa najprv vykúpili z poddanskej roboty a neskôr aj zo strážnej služby na Kamenickom hrade. Mestský charakter mestečka v druhej polovici tohto storočia zvýraznili privilégiá Ferdinanda I. z roku 1563 o konaní troch jarmokov a Maximiliána II. z roku 1574, ktorým povolil ďalší jarmok. V tom istom roku boli Lipiančania oslobodení od platenia mýta na mýtnici v Pečovskej Novej Vsi.

15. a 16. storočie sú pre Lipany storočiami hospodárskeho rozmachu, čo okrem iného dokumentuje skutočnosť, že patrili medzi najväčšie šarišské mestečká. Roku 1600 mali 105 obývaných domov, kostol, faru, špitál a školu. Po roku 1558 zemepánmi Lipian sú Dežőfiovci a v ďalších storočiach i Sirmaiovci a Premontovci. Úpadok mestečka v 17. a v prvej polovici 18. storočia bezprostredne súvisel s priebehom protihabsburských stavovských povstaní uhorskej šľachty. Roku 1753, takmer tri desaťročia pred zrušením nevoľníctva, obyvatelia Lipian získali právo slobodného sťahovania sa a prisťahovalci oslobodenie na šesť rokov od platenia daní.

Pri prvom sčítaní obyvateľstva Uhorska v rokoch 1784 - 1787 sčítací komisári zistili v Lipanoch 161 rodín obývajúcich 144 domov a 806 obyvateľov. V mestečku žili dvaja farári, desiati šľachtici a jeden úradník. Do roku 1828 vzrástol počet domov na 154 a obyvateľov na 1 167. Roku 1880 mestečko postihol veľký požiar a spolu s pretrvávajúcim vysťahovalectvom to ovplyvnilo jeho demografický vývoj (roku 1880 tu žilo 1 415 obyvateľov, roku 1890 1 381 a roku 1900 1 412).

Po vzniku ČSR Lipany stratili štatút sídla okresu (1923) a stali sa súčasťou okresu Sabinov (do roku 1960), dnes sú v okrese Prešov. Až do päťdesiatych rokov 20. storočia sa obyvatelia venovali predovšetkým poľnohospodárstvu a drobnému remeslu. V ďalších rokoch sa tu vybudovalo niekoľko priemyselných podnikov, čím sa zmenila sociálna štruktúra mestečka. Počet domov a obyvateľov sa niekoľkonásobne zvýšil.

Prvé správy o škole a učiteľovi pochádzajú až z konca 16. storočia, pravda Lipany iste mali školu už v predchádzajúcom období, keďže kostol a fara sú tu doložené od 14. storočia. Po prijatí reformácie bola v Lipanoch utvorená evanjelická mestská škola, ktorej vznik sa odôvodňoval takto: „Vplyv kultúrne vyspelých spišských miest, značne rozšírený nemecký jazyk, evanjelické náboženstvo a hudobne vyspelý chór utvárali vhodné podmienky na rozkvet latinských škôl." Zoznam lipianskych učiteľov od roku 1609 do roku 1720 obsahuje 13 mien. Školu stredného typu získali Lipany až v roku 1957.

Z pamätihodností mestečka je najvzácnejší rímskokatolícky farský kostol sv. Martina biskupa. Pôvodne gotická stavba z prvej polovice 14. storočia bola v roku 1493 rozšírená o kaplnku Tárcaiovcov, v 16. storočí pribudli renesančné portále a pastofórium. V roku 1748 rozšírili kostol o severnú barokovú kaplnku. Umeleckohistoricky cenný je celý interiér kostola.

Turisticky je zaujímavé aj blízke okolie mestečka. Zvyšky stredovekých hradov - Kamenického a Hanigovského - poskytujú nielen konfrontáciu s minulosťou, ale i poznanie nádhernej prírody tohto kúta Šariša. Lipany sú východiskom do oblasti Dubovice, Renčišova a Lipovec, kde sú vhodné lyžiarske terény.

◄◄

166. Rímskokatolícky farský kostol sv. Martina
biskupa

167. Hlavný oltár rímskokatolíckeho kostola

168. Námestie s budovou mestského úradu

169. Celkový pohľad na Lipany

170. Obchodný dom a hotel Lipa

171. Bradlá na Pustom poli

172. Kaštieľ v Krivanoch

173. Lesy v pohorí Bachureň

174. Hráč na originálny ľudový nástroj gajdicu

175. Lyžiarske stredisko Dubovické žliabky

Strážske

V severnej časti Východoslovenskej nížiny, v prstenci Humenských vrchov, Pozdišovského chrbáta a malebného masívu Krivoštianky leží jedno z najmladších zemplínskych mestečiek - Strážske.

Stopy po predhistorickom osídlení tohto územia sú archeológmi doložené od paleolitu až po slovanské, resp. včasnostredoveké obdobie. Súvisia s tým, že týmto územím už v praveku prechádzala cesta, spájajúca balkánsku oblasť s Baltickým morom. Tu sa nachádza Brekovská brána, ktorú už starí Slovania opevnili z oboch strán, ako dôležité strategické miesto pri prechode do Humenskej kotliny.

Prvá písomná správa o obci je z roku 1337 (Ewrmezew - Strážne pole). K jej založeniu muselo dôjsť kráľovskými strážcami niekedy začiatkom 12. storočia. Keďže pôda patrila kráľovi, obec si pomerne dlho zachovávala slobodu. Jej význam ako strážnej osady zanikol koncom 13. a začiatkom 14. storočia, keď i v Zemplíne vyrástla sústava obranných hradov (Vinné, Brekov, Jasenov, Čičva...), chrániacich obchodné cesty z juhu na sever a z východu na západ.

V 15. storočí sa Strážske dostáva do vlastníctva mocného feudálneho rodu humenských Drugetovcov. Majetkové podiely si tu udržiavali páni z Michaloviec, Edenfiovci, Perneckovci, Hrabovciovci, Rákociovci a mnohí ďalší.

Hlavnou pracovnou náplňou obyvateľov Strážskeho bolo poľnohospodárstvo a od 16. storočia čiastočne aj vinohradníctvo. Podobne ako ďalšie zemplínske dediny a mestečká, ani Strážske neobišli ťažkosti a útrapy spojené s protihabsburskými stavovskými povstaniami uhorskej šľachty. Majetkový súpis, urobený krátko po skončení posledného povstania (roku 1715), uvádza v Strážskom 53 domácností, ale z nich iba 23 obývaných. Počas prvého oficiálneho sčítania ľudu v Uhorsku v roku 1787 malo Strážske 103 domov a 861 obyvateľov. O štyridsať rokov neskôr (1828) to bolo 152 domov a 1 153 obyvateľov. V tomto období bolo Strážske hospodársky vyspelou obcou. Bola tu aj panská kúria so sústavou hospodárskych stavieb. Na panskom majetku sa nachádzali dva veterné mlyny, dve pálenice, pivovar, mäsiarsky výsek a veľký sad. Na starú tradíciu mlynárstva v obci poukazuje aj zachovaná obecná pečať so symbolikou veterného mlyna. Udalosťou, ktorá sa osobitne významne dotkla života tunajšieho obyvateľstva, bolo dokončenie výstavby železničnej trate Michaľany - Strážske - Humenné - Medzilaborce vedúcej ďalej cez Lupkovský priesmyk do Haliče. Prvý vlak do Strážskeho prišiel 25. decembra 1871. Výstavbu malej rafinérie v obci podnietil dovoz ropy z Poľska a z dedinky Miková pri Medzilaborciach.

Koncom 19. storočia prešiel Sirmaiovský majetok do rúk Séčeniovcov, ktorí si okrem kaštieľa postavili nový moderný mlyn. Žiaľ ani tieto aktivity nedokázali zastaviť prúd vysťahovalcov do zámoria, resp. aspoň sezónne vysťahovalectvo za prácou na Dolnú zem. Od polovice 19. do začiatku 20. storočia sa počet obyvateľstva znižoval: z 1 102 obyvateľov v roku 1869 na 1 091 v roku 1910.

Ani medzivojnové obdobie neprinieslo podstatné zmeny do života tejto zemplínskej obce. Do roku 1940 počet obyvateľstva vzrástol len o 201 osôb na počet 1 292.

Najvýznamnejšou udalosťou z obdobia prvej Slovenskej republiky je bezosporu slávnostné odovzdanie železničnej trate Prešov - Vranov - Strážske v roku 1943.

Nemožno nevidieť, že dynamika povojnového rozvoja súvisela predovšetkým s výstavbou veľkého chemického podniku Chemko, ale i s novými pracovnými príležitosťami v blízkom Humennom a Michalovciach. K rastu obce prispeli aj Krivošťany a Pláne, ktoré sa v roku 1960 zlúčili so Strážskym. Mestotvorný proces bol ukončený 15. júna 1968, kedy Strážske získalo štatút mesta.

Prekvapujúco pomerne starý je údaj o jestvovaní farskej školy (rok 1485). Roku 1666 si evanjelici zriadili vlastnú školu podľa vzoru nemeckých mestských škôl. Školu stredného typu - chemickú - na krátky čas mali v Strážskom v päťdesiatych rokoch 20. storočia. Od roku 1960 tu bolo zriadené poľnohospodárske učilište a roku 1970 dievčenská odborná škola s poľnohospodárskym zameraním. V Chemku za uplynulé roky vychádzali viaceré podnikové časopisy.

S týmto zemplínskym mestečkom spojili svoj život také osobnosti, akými sú spisovatelia I. Danilovič, P. Sabolová-Jelínková, herec E. Bindas, výtvarníci L. Szalay, J. Hudák, M. Rogovský, V. Ormitz a i.

Pôvodný rímskokatolícky kostol zanikol v roku 1821 v súvislosti s výstavbou nového kostola Nanebovstúpenia Pána. Je to jednoloďová klasicistická stavba s polkruhovým uzáverom presbytéria. Gréckokatolícki veriaci dokončili výstavbu svojho chrámu v roku 1794 a bol zasvätený Nanebovstúpeniu Pána.

Strážske sú východiskovým miestom na Zemplínsku Šíravu a neďaleké hrady Brekov a Vinné.

◄◄

176. Rímskokatolícky farský kostol
Nanebovstúpenia Pána

177. Prírodná rezervácia Lužný les pri Laborci

178. Ľudový dom v Krivošťanoch

179. Hrad Brekov

180. Pár z folklórneho súboru Strážťan

181. Námestie, v pozadí Krivoštianka

182. Celkový pohľad na Strážske

183. Vzácne exempláre stromov v parku pri kaštieli

184. Znovuodhalenie pomníka obetiam prvej svetovej vojny

185. Budova mestského úradu

Giraltovce

Na sútoku Radomky a Tople, v južnej časti Nízkych Beskýd leží mestečko Giraltovce. Jeho okolie patrí medzi najstaršie osídlené časti Bardejovského okresu (od paleolitu až po poveľkomoravské obdobie).

Hoci je nesporné, že Giraltovce jestvovali už pred 15. storočím, prvá písomná správa je až z roku 1416 (Geralth). Založené boli na nemeckom práve šoltýsom Giraltom. Až do polovice 15. storočia boli vo vlastníctve šľachticov z Drienova, Sečoviec a Šemše. V ďalších storočiach sa vo vlastníctve tejto poddanskej obce vystriedali Šóšovci, Juraj Vernej a od druhej polovice 16. do polovice 18. storočia opäť Šemšeiovci. Až do zrušenia poddanstva zemepánmi Giraltoviec boli Podturňanskovci, Sirmaiovci a Krasnecovci.

Napriek priaznivej zemepisnej polohe sa stredoveká osada nevyvinula vo významnejšie obchodno-remeselné centrum. V roku 1600 okrem domu šoltýsa stálo v Giraltovciach 18 domov poddaných, v ktorých žilo do 150 obyvateľov. O storočie neskôr, po skončených protihabsburských povstaniach uhorskej protestantskej šľachty (1604 - 1711), tu bolo deväť domácností s približne 50 ľuďmi. Až v priebehu 18. storočia dochádza k postupnému oživeniu. Poddaní sa okrem práce na poli venovali chovu dobytka a furmankám, roľnícke prebytky predávali na trhoch a jarmokoch nielen v Hanušovciach a Kurime, ale i v Prešove a Bardejove. K mlynu, ktorý tu bol i v predchádzajúcich storočiach, pribudla tehelňa a na určitú dobu i manufaktúra na výrobu fajansy. Podľa údajov prvého sčítania obyvateľstva v Uhorsku (1784 - 1787) žilo v 74 domoch 646 obyvateľov. Do roku 1828 vzrástol počet domov na 90 a obyvateľov na 686.

Kostol a katolícka fara pravdepodobne jestvovali v obci už koncom 14. storočia. Rešpektujúc zásadu: cuius regio, eius religio (čia krajina, toho i náboženstvo), spolu so zemepánom sa evanjelikmi stali aj jeho poddaní. Začiatkom druhej polovice 17. storočia Šemšeiovci dali postaviť pre evanjelickú cirkev kostol, z ktorého zachovaná renesančná veža sa stala základom pre výstavbu nového barokovo-klasicistického kostola z roku 1798. Až do začiatku 18. storočia bola evanjelická cirkev augsburského vierovyznania fíliou neďalekých Kračúnoviec. Po osamostatnení dochádza k posilneniu pozícií Giraltoviec v rámci Šarišsko-zemplínskeho seniorátu. Hoci školu v obci historici predpokladajú už pred prijatím reformácie tunajším obyvateľstvom, od roku 1720 zachovaný zoznam giraltovských učiteľov potvrdzuje jej trvalú existenciu dodnes. V rokoch 1809 - 1823 pôsobil na tejto škole otec Jána Hvezdu, ktorého literárna história považuje za pozoruhodného básnika píšuceho a publikujúceho v šarišskom nárečí. V roku 1831 prichádza do Giraltoviec za evanjelického kňaza a neskôr seniora Adam Hlovík, rodák z oravskej Párnice. Do dejín slovenského národného obrodenia sa zapísal predovšetkým svojou zberateľskou činnosťou. Do Kollárových Národných spievaniek prispel zbierkou viac ako 115 zemplínskych a šarišských piesní. Cirkevná i literárna história oceňuje Hlovíkov podiel pri vydaní Kollárom zostaveného nového cirkevného spevníka. Široký je okruh priateľov - vlastencov, s ktorými Adam Hlovík udržiaval úzke kontakty. V lete 1842 ho v Giraltovciach navštívil vynikajúci ruský slavista I. I. Sreznevský.

Od začiatku druhej polovice 19. storočia si Giraltovce udržiavali pozíciu dôležitého spoločensko-politického centra predovšetkým tým, že nepretržite až do roku 1960 boli sídlom okresu, resp. aj ďalších okresných inštitúcií (okresného súdu, daňového a pozemkového úradu, zdravotného obvodu, poštového a telegrafného úradu atď.). To našlo odraz i v demografii mestečka, ktoré v roku 1869 malo 820 obyvateľov, v roku 1910 už 1 002, v roku 1930 1 359, ale v roku 1961 2 195 obyvateľov. Po územnom členení štátu v roku 1960 pripadli Giraltovce pod okres Bardejov. Dynamika vývoja v posledných desaťročiach je evidentná i z toho, že pri poslednom sčítaní ľudu roku 1991 žilo v Giraltovciach 10 657 obyvateľov. Mestečko sa zmenilo nielen urbanisticky, ale i vybavenosťou bytov, úrovňou bývania a životného štandardu.

V dvadsiatom storočí boli postavené rímskokatolícky kostol sv.Cyrila a Metoda a gréckokatolícky chrám Matky Ustavičnej Pomoci. Obete prvej svetovej vojny pripomína pomník s plastikou ležiaceho leva a kamenný pylónik s mramorovou tabuľou.

Svetské stavebné pamiatky prezentuje predovšetkým neskororenesančný kaštieľ Šemšeiovcov z prvej polovice 17. storočia (dnes slúži zdravotníctvu).

Pozoruhodné sú i viaceré stavebné pamiatky v blízkych dedinách - pôvodne gotické kostolíky v Kukovej a Kračúnovciach, renesančný kostol v Brezove a barokovo-klasicistický v Kobylniciach.

Hanušovce
nad Topľou

Mestečko Hanušovce nad Topľou ležiace v dolnej časti Medzianskeho potoka obopína Hanušovská pahorkatina, spojovací článok Nízkych Beskýd so Slanskými vrchmi.

Na rozdiel od iných stredovekých osád, pri ktorých počiatky treba predpokladať v dávnej minulosti pred ich prvou písomnou zmienkou, u Hanušoviec je to pomerne jednoduché. Nielen prvá písomná správa, ale i faktické založenie osady šoltýsom Hanusom spadajú do začiatku 14. storočia. Od založenia osady na nemeckom práve do prvej správy z roku 1332 (Hanusfalva) ubehlo iba niečo vyše jedného desaťročia. Za toto obdobie si stihli Hanušovčania postaviť ranogotický kostol, v ktorom pôsobil farár Klement. Kráľ Karol Róbert v listine z roku 1332 udelil Hanušovčanom mestské výsady Prešova (povolil im sobotňajší trh, oslobodil ich od platenia mýta v kapušianskej mýtnici a vo všeobecnosti povolil užívať práva kráľovského mesta Prešova), ktorými sa Hanušovce zo slobodnej dediny stali mestečkom. Ich zemepánom sa od roku 1346 na tri storočia stali šľachtici Šóšovci zo Solivaru. V 17. storočí sú to Kecerovci a v ďalšom storočí aj Dežőfiovci a Berzeviciovci.

Postavenie Hanušoviec na významnej obchodnej ceste, blízkosť kapušianskej mýtnice i miest Prešova severným smerom a na juh Vranova podporilo ďalší rozvoj mestečka. V 15. - 16. storočí mu boli priznané tri jarmoky a v roku 1635 ďalšie tri. V žiadnom z okolitých mestečiek sa takéto množstvo jarmokov nevyskytovalo. Hanušovce si zachovávali prvenstvo i v tom, že v 15. storočí disponovali najväčším chotárom v porovnaní s chotármi šarišských mestečiek. Pri Medzianskom potoku boli postavené tri mlyny. V roku 1600 mali 67 domov, farský kostol, faru, školu, hostinec, Šóšovci vlastnú kúriu a boli tu i ďalšie hospodárske a cirkevné objekty. Trhy a jarmoky priaznivo vplývali na domácu remeselnú výrobu. V 18. storočí najpočetnejší z remeselníkov boli garbiari a čižmári, ktorí si založili spoločný cech. V roku 1787 mali Hanušovce 112 domov a 896 obyvateľov, do roku 1828 vzrástol počet domov na 168 a obyvateľov na 1269.

Ak v predchádzajúcich storočiach sa mestečka a jeho obyvateľov dotkli tiež udalosti, akými bola prítomnosť bratríkov Jana Jiskru v blízkom okolí a pohyby cisárskych a stavovských vojsk počas protihabsburských povstaní nekatolíckej šľachty, tak v lete 1831 sa Hanušovce ocitli na hranici veľkého živelného roľníckeho povstania (tzv. cholerové povstanie). Autorom veršovanej kroniky o jeho priebehu je Andrej Čorba, rodák z Chmeľova, v rokoch 1824 - 1845 evanjelický farár v Hanušovciach.

S postavením evanjelickej cirkvi v mestečku úzko súvisia aj dejiny tunajšieho školstva. Založenie evanjelického vidieckeho gymnázia v Hanušovciach autori známeho diela Gymnaziológia odôvodňujú takto: „Občania si založili v obci školu, aby ich synovia pri pasení dobytka celkom duševne nezakrpateli.“ Ako ďalej uvádzajú, isté je, že škola existovala od roku 1634 do roku 1717, kedy mesto obsadil šarišský župan Š. Bornemisza a školu odovzdal katolíkom.

Hospodársky úpadok sprevádzal Hanušovce až do konca druhej svetovej vojny. Vysťahovalectvo do zámoria, ako to môžeme sledovať z poklesu obyvateľstva (v roku 1869 tu žilo 1 563 obyvateľov, v roku 1910 iba 1 267 obyvateľov), a hľadanie pracovných príležitostí na Dolnej zemi (najmä počas sezónnych prác) boli iba čiastkové východiská z nežičlivých pomerov. Nielen pracovné príležitosti, ale i zlepšenie spojenia s ostatnými regiónmi Slovenska umožnila výstavba železničnej trate Prešov - Hanušovce - Vranov - Strážske. Počas druhej svetovej vojny sa stali Hanušovce jedným z centier partizánskeho hnutia.

Hanušovce početnosťou a vzácnosťou umeleckohistorických pamiatok majú jedinečné postavenie medzi mestečkami Šariša. K najvzácnejším pamiatkam patrí ranogotický rímskokatolícky kostol zasvätený Všetkým Svätým s retardovanými románskymi prvkami, v 18. storočí barokizovaný. Po vydaní tolerančného patentu si evanjelici augsburského vierovyznania postavili v roku 1783 v klasicistickom slohu kostol, ktorý v roku 1820 rozšírili o vežu a empírovo upravili. Obnovený bol v roku 1937. Zo svetských pamiatok sú to predovšetkým dva kaštiele - starší, pôvodne renesančný (tzv. menší), je z roku 1564 a mladší, barokový, z prvej polovice 18. storočia slúži dnes pre účely vlastivedného múzea.

V obciach Petrovce a Matiaška sa nachádzajú pamätníky na činnosť partizánskej brigády Čapajev. Neďaleké Medzianky sú lokalitou stredovekého hrádku z konca 12. storočia (písomne doloženého roku 1212). Turisticky vyhľadávanými prírodnými útvarmi Slanských vrchov sú Údolie obrov s Hermanovskými skalami a vrchol Šimonky.

ZOZNAM POUŽITEJ LITERATÚRY

Beňko, J.: Osídlenie severného Slovenska. VV Košice 1983.

Beňko, J. a kol.: Stropkov. NEOGRAFIA Martin 1994.

Dejiny Bardejova. Zostavili A. Kokuľa, A. Lukáč, L. Tajták. VV Košice 1975.

Dejiny Giraltoviec. Zostavil F. Uličný. VV Košice 1992.

Dejiny Prešova. I.-II. zv. Zostavil I. Sedlák. VV Košice 1965.

Dejiny Vranova nad Topľou. Zostavil I. Michnovič. VV Košice 1992.

Dugas, D. - Jáger, M.: Strážske. DINO Prešov 1994.

Dugas, D. - Vozár, P.: Hanušovce nad Topľou. DINO Prešov 1993.

Dugas, D. - Bodnár, M.: Sabinov. DINO Prešov 1994

Dugas, D. - Lešo, T.: Vranov nad Topľou. DINO Prešov 1993.

Dugas, D.: Svidník. DINO Prešov 1992.

Guzej, J. - Francúz, J.: Humenné. CUPER Prešov 1993.

Hanušovce nad Topľou. Zostavil G. Gašpar. VV Košice 1984.

Hoffman, L. - Stankovský, A.: Z dejín Sniny a okolia. VV Košice 1976.

Chalupecký, I. - Garajová, E.: Stará Ľubovňa a okolie. VV Košice 1973.

Michnovič, I.: Bardejov. REFO Praha 1975.

Michnovič, I.: Pohľady do histórie Giraltoviec. Poddukelské noviny, roč. 1970.

Michnovič, I.: Minulosť a súčasnosť Medzilaboriec. Družno vpered, roč. 1976, č. 5.

Michnovič, I.: Vranov a okolie. VV Košice 1969.

Mindoš, I.: Svidník a okolie. VV Košice 1974.

Okres Svidník. Zostavili H. Husárová a J. Rusinko. VV Košice 1989.

Rezík, J. - Matthaeides, S.: Gymnaziológia. SPN Bratislava 1971.

Sabinov a okolie. Zostavil I. Sedlák. VV Košice 1962.

Slivka, M. - Vallašek A.: Hrady a hrádky na východnom Slovensku. VV Košice 1991.

Súpis pamiatok na Slovensku. I.-III. zv. OBZOR Bratislava 1967-1969.

Uličný, F.: Dejiny osídlenia Šariša. VV Košice 1990.

Vlastivedný slovník obcí na Slovensku. I.-III. zv. VEDA Bratislava 1977-1978.

SUMMARY

Prešov

Ancient Prešov, Šariš metropolis, is spread at the northen edge of Košice basin on both banks of the Torysa river. It is first mentioned in 1247 (Epuryes). King Ondrej III granted town privileges in 1299. The number of privileges increased in time. Thanks to them, Prešov became one of the most important towns in Hungary. The town had a good reputation due to the Evangelic Collegium. Many important personalities studied or worked here (e.g. J. Bayer, J. Caban, J. Rezík, E. Ladiver ml., M. Hodža, J. Záborský, P.O. Hviezdoslav, etc.). So called Prešov slaughtery took place in 1687 when General Caraffa had 24 nobelmen and burghers executed. The town is a treasury of art historical monuments. A national cultural monument is the Church of St. Nicolaus. The Franciscan Church and Monastry, Greek Catholic and Orthodox Churches, Evangelic Church and Synagogue are unique as well. In the surroundings there are the ruins of some castles (Šariš, Kapušany) and other historical and natural sights.

1. Neptun's Fontain and Town Hall
2. Fountain in the Square „Námestie legionárov"
3. At the Fountain in the Square „Námestie mieru"
4. Roman Catholic St. Nicolaus Church
5. Jonáš Záborský Theatre
6. Panoramic View of Prešov Square
7. Town Hall, Seat of the Town Authority
8. Caraffa's Prison
9. Burger Houses in the Square
10. Franciscan Church of St. Trinity
11. Gothic Slab Paintings in St. Nicolaus Church
12. Facade of the Greek Catholic Cathedral Church of John, the Baptist
13. Baroque Main Altar in St. Nicolaus Church
14. Liturgy of Greek Catholic Cathedral Church
15. Baroque Complex at Calvary with the Church of Holy Cross
16. Aerial View at the Historical Prešov Centre
17. Florián Street
18. Exposition „Man and Fire" in the National History Museum
19. Previous Rákoczi Palace
20. Confrontation of Old and Modern Town Prešov
21. Previous County House
22. 17. November Street in Bloom
23. Šariš Hotel
24. Florián Gate of the Off-Side
25. Solivar, Interior of Leopold Pit
26. Bonnet of Šariš National Costume
27. Solivar Bobbin-Lace
28 Šariš National Costume from the Village Kojatice
29. View from the Top of Bachureň Mountains
30. Sigord Dam
31. Ski Resort Búce in Bachureň Mountains
32. Moses Colum Stone Formation in Lačnov Canyon

Humenné

It is situated on the central flow of Laborec river and its tributory Cirocha. The first written document about Humenné is in the summary of the papal tithes from 1332-1337 (Humenna).

As a possession of Druget family it was also the centre of their vast feudal estate. In the 17th Century, there were 5 guild organisations. Since the end of the 17th Century, the small town was in the possession of some yeomen, the most important was the family Andrássy. Franciscans settled in Humenné in the 15th Century and Jesuits in the 17th Century; the Jesuit Collegium was founded at that time. The railway Michaľany-Strážske-Humenné was layed to Humenné in 1871. The oldest and most valuable religious sight is the Roman Catholic Parish Church (14th Century) and the Franciscan Monastry built nearby. The Gothic mansion (early 17th Century) was changed into a representative Renaissance mansion (museum at present). The synagogue is from 1785. Nearby there are the ruins of Brekov and Jasenov castles as well as the unique wooden churches (Topoľa, Kalná Roztoka, Ruský Potok, etc.). In the town there is an open-air-museum.

33. Facade of the Mansion
34. Panoramic View of Humenné from the West
35. New face of the Town
36. At the Cultural Centre
37. Town Authority Buildings
38. Panorama of the Housing Estate „Sídlisko III"
39. Shopping Centre in „Námestie slobody" Square
40. Town Liberators' Memorial
41. Roman Catholic Church of All Saints
42. Gothic Interior of Roman Catholic Church
43. Museum Exhibition in the Mansion
44. Flower-beds in Bloom in front of the Mansion
45. Historical Performance in the Mansion Yard
46. Folkart Programme in the Open-Air-Museum
47. Valley above the Village Nová Sedlica
48. Open-Air-Museum in the Mansion Park
49. „Jarabá" Rock at the Ridge of Bukovské vrchy Hills
50. Primeval Forest at the Ridge of Bukovské vrchy Hills
51. Wooden Church in Hrabová Roztoka
52. A Part of the Iconostasis in the Wooden Church from Nová Sedlica - Open-Air-Museum

Bardejov

In the past as well as at present, it is an economic, siocial and cultural centre of Upper Šariš Region. A small market settlement, first mentioned in Ipatijevski chronicle (Bardouev) in 1241, was changed to a free royal town (1376) by the end of the 14th Century. The „Golden Age" in the development of culture and education was the 16th Centruy. At that time, the ideas of Renaissance and reformation humanism found their supporters even here. The men as e.g. L. Stöckel - educator and church reformer, Z. Zarevucius - Baroque musician and organist, B. Kéler - composer, J. Andraščík - national awakener and others cast their lots with Bardejov. Since 1952, Bardejov has been declared a preserved historical sight. The town was awarded Golden Medal by UNESCO in 1986 for the protection of the unique architecture. The Roman Catholic Gothic Church and the Early Renaissance town hall are national cultural monumets. Bardejov Spa, the ruins of Zborov castle and seven wooden churches (national cultural monuments), the mineral spring Cigeľka and some protected areas are in Bardejov surroundings.

53. Historical Square with the Town Hall
54. Christmas Time at the Town Hall Square

55. Painted Facade of the Burger House
56. Interior of the Romain Catholic St. Egidius Church
57. A Part of the Wing Altar of Christ Birth in St. Egidius Church
58. Overall View of Old Bardejov
59. Late Gothic Town Hall (beginning of the 16th Century)
60. Rectangular Bastion of the Middle ages Fortification
61. View of Bardejov Spa
62. Spa Colonnade
63. Spa House Ozón
64. Spa House Astória
65. Water Cures in the Colonnade
66. Interior of a Cottage in the Open-Air-Museum in Bardejov Spa
67. A Pair of Čerhovčan Folk Group
68. Countryside in Bardejov Surroundings
69. Wooden Church in Krivé
70. Wooden Church Icon in Tročany
71. Wooden Church in Hervartín

Stará Ľubovňa

This centre of the smallest and youngest district lies in Poprad valley not far from the Polish border. The first record dates back to 1242 (Libenow). A very important year was 1412. In that year, it was decided at the local castle that 13 Spiš towns were given to Poland as a security. After 360 years the towns were given back in 1772. Today's square resembles that of the Middle Ages. The Roman Catholic Church of Bishop St.Nicolaus, is an Early Gothic edifice (beginning of the 14th century). The Stará Ľubovňa castle is the most visited sight (today a museum). Bellow the castle there is an open-air-museum of folk architecture. Ľubovnianske and Vyšné Ružbachy Spas are attractive for tourists. The town is a good starting point to attractive Spiš places e.g. to Podolinec, Haligovce, Červený Kláštor, etc.

72. Ľubovňa Castle, Southwestern Bastion and Central Tower
73. Panoramic View of Stará Ľubovňa from the Castle
74. Market and the Northen Suburb
75. Vrchovina Hotel
76. Square with the Roman Catholic St. Nicolaus Church
77. New Greek Catholic Cathedral Church of the Mother of Perpetual Help
78. Centre at the Town Authority
79. Provintial House at the Square
80. Pieniny, Breakthrough of Dunajec River at Lesnica
81. Ruins of Plaveč Castle
82. Swimming Pool in Vyšné Ružbachy Spa
83. Panoramic View of Ľubovňa Castle
84. Open-Air-Museum bellow the Castle
85. Ľubovnianske kúpele Spa

Svidník

The town connected with World War II is situated in the northen part of Nízke Beskydy mountains. The first record is from 1334 (Sudnici). In 1414 antoher Svidník (Zuydnegh) was founded. Up to 1943, Vyšný (Upper) and Nižný (Lower) Svidník existed. Then they were unitied under the name Svidník. In winter time of 1914-1915 both villages suffered under the battles of the Russian and Austria-Hungarian troops. However, World War II took a greater toll of people. In Dukla and

Svidník thousands of Soviet, German as well as our soldiers are burried. There are some monuments to that war. Svidník is the centre of the Ruthenians and Ukrainians of Eastern Slovakia. These festivals are held every year. In the town, they have the museum of their culture and a military historical one, too. The Greek Catholic church is from the end of the 18th Century and the Orthodox one from the first half of the 20 th Century. Gallery of D.Milly is in the mansion of Szirmai family. Unique wooden churches in the villages Bodružaľ, Miroľa, etc. are frequently visited places.

Vranov nad Topľou

The ancient Zemplín town is situated in the northwestern edge of Eastslovak Lowlands on the left bank of Topľa. First it was mentioned in the papal registers from 1333-1337 mentioning the priest Štefan from Vranov (Stephanus de Warano). It was a part of the castle estate Čičva. Its owners were the noblemen from Rozhanovce as well as Bátory. The wedding of known bloodthirsty Alžbeta Bátory (1575) took place in the town. Three guild organisations were located here between the 16th and 19th centuries. The peasant rebellion (1831) affected the life of people and the town, too. In 1903, the railway Trebišov-Vranov and in 1943 Prešov-Vranov-Strážske were finished. No important secular sights remain. Interesting is the Roman Catholic Parish Church of the Virgin Mary (1580). In the surroundings the most attractive spot is Čičva castle in ruins since 1711. Some Gothic churches are in nearby villages (Soľ, Kučín, Nižný Hrušov, etc.). In Slanské mountains there are natural protected areas; the water basin Domaša is a place for recreation and relaxation.

Snina

The most easterly situated Zemplín town on the confluence of Pčolinka and Cirocha is surrounded with the forests of Nízke Beskydy and Vihorlat mountains. It is supported by the documents from 1343 (Zynna). It was an estate of Druget family from Humenné and since 1799 of the iron-magnate Jozef Rholl; he bought it from the Vanderat family. In 1815, he founded the steelworks and iron-mills. Agricultural tools, cast-iron products, dishes, etc. were produced. Between 1909-1912 the railway Humenné-Snina-Stakčín was built. The Roman Catholic Church of Finding the Holy Cross is from 1847; the chapel of the Virgin Mary was built in Snina iron-mills in 1887. The mansion dates back to the end of the 18th Century. There is a well with the statue of Hercules (1841) in the yard. Beautiful countryside and unique wooden churches (Hrabová Roztoka, Ruský Potok, etc.) as well as natural jewel „Morské oko" (lake) are interesting places for visitors.

Stropkov

It lies on the left bank of Ondava in the beautiful scenery of Ondava Highlands. It is mentioned in the documents first in 1404. It existed, however, before the 13th Century. In 1404, Stropkov (Stropko) was already a small town - oppidum. In 1757, so called big guild came into existance - very rare in Slovak history. The reports about the school are from the beginning of the 16th Century. Franciscan-Minorits settled here in the 17th Century and the Redomptorists in 1921. The ruins of the former castle are a part of the mansion. The Roman Catholic Parish Church of the Body of the Holiest Christ goes back to the 14th Century. The Greek Catholic Church and Monastry are Baroque edifices from 1673. The Jewish synagogues no longer exist. Not far from Stropkov - southwards is Domaša lake an attractive water reservoir. Tokajík is known for the tragedy of November 1944.

Sabinov

Northwest of Prešov, Sabinov, a former free royal town, is situated. The first record dates back to 1248 (Szeben). In 1299 King Ondrej III granted town privileges to the medieval settlement. The town is rich in cultural history. Since the 15th Century, a school existed here. It became famous during the reformation when some personalities worked here. Sabinov is the birthplace of the scientist J. Buchholz, the painter M.T.Kosztka-Csontováry. The actor J. Borodáč, the writer J. Cirbusová, the poet of the Štúr generation B.Nosák-Nezabudov worked in the town. A part of the town fortification has been kept to the present. The Parish Catholic Church goes back to the beginning of the 14th Century. Two Evangelic churches are from the end of the 18th Century and beginning of the 19th Century. Since 1740, the Piaristic Gymnasium has been in the former Evangelic Lyceum - at present the museum. Drienica is a well-known recreational area.

Medzilaborce

is situated in the northen part of Nízke Beskydy mountains not far from the Polish border. It is an important centre of the Ruthenians and Ukrainians. It was founded in the second half of the 15th Century; first mentioned, however, in 1543 (Kis Laborcz). It became a small town through a gradual development (no town privileges). It suffered a lot in World War I and II. Festivals of culture, sports, drama and art activities are held for Ruthenians and Ukrainians annually. Since 1991, the Museum of Modern Art of Warhol family has come into existance. The oldest religious sight is the Greek Catholic Church of St. Basilius, the Great (end of the 18th Century). The Roman Catholic Church of the Virgin Mary is from 1903. The dominant sight is, however, the Orthodox Church (1949) constructed in the Old Russian style. There are good conditions for summer as well as winter hiking.

Veľký Šariš

The administrative centre of former Šariš county is situated north of Prešov bellow Šariš castle. Its history is linked with the history of Šariš castle. It is supported by documents of the 13th Century. It was, however, built one century earlier. Since the 19th Century, there is a modern steam mill (1853) and since 1967, a well-known brewery here. In the small town the poet Jozef Tomášik-Dumín lived between the wars. The castle has been in ruins since 1687. Its captain in the 16th Century was Juraj Werhner, the author of the paper „About miracle water of Hungary". The Roman Catholic Church of St. James goes back to the second half of the 13th Century. The Gothic chapel is from the middle of the 14th Century and the chapel in the cemetery is late 17th Century. Šariš castle is a natural protected area.

Lipany

It is northwest of Sabinov on the upper flow of Torysa river. The settlement was called Seven Linden Trees (Septem Tiliis) in the oldest document (1312). German guests settled here at the end of the 13th Century. At the beginning of the 15th Century, it is mentioned as a servitude village (oppidum). The first records about the school and its teacher go back to the end of the 16th Century. The most interesting sight is the Roman Catholic Church of Bishop St. Martin. Originally the Gothic edifice was enlarge (1493) and in the 16th Century, in Renaissance style and in the middle of the 18th Century, rebuilt in Baroque. The surroundings is interesting for visitors - the ruins of Middle Ages castles are in Kamenica and Hanigovce. Good skiing slopes are in Dubovica, Renčišov and the well-known mineral spring Salvátor is in Lipovce.

Strážske

A small town lies in the northen part of Eastern Slovak Lowlands. First mentioned in 1337 (Ewrmezew - Strážne pole). The village was founded by royal guards at the beginning of the 12th Century. In the 15th Century, it was in the possession of some yeomen. Old tradition of miller trade and wine making existed here. The first train arrived in Strážske in 1871. At the end of the 19th Century, a raffinery for oil was built. In 1943, a new railway started to work: Strážske-Prešov. Som important men cast their lots with the town (town status awarded in 1968): the writers - I. Danilovič, P. Sabolová-Jelinková, the actor E. Bindas, artists J. Hák, M. Rogovský, etc. The Roman Catholic church is from 1821, the Greek Catholic from 1794. Strážske is a starting point to Brekov and Vinné castles as well as to Zemplínska Šírava lake.

Giraltovce

is a small town situated on the confluence of the rivers Topľa and Radomka. It is first mentioned in 1416 (Geralth). It was in the possession of some feudal nobelmen. The church and the Catholic rectory might have existed at the end of the 14th Century. In the 17th Century, it was in the bondage of Evangelic yeomen. In 1831-1851 the Evangelic pastor Adam Hlovik, a well-known collector of folk songs, the author of some religious songs and participant in national revival movement, lived here. Ján Hvezda, a poet writing in Šariš dialect, was born in the town. Since the second half of the 19th Century, it is the seat of the district with a lot of institutions. The oldest religious edifice is the Evangelic Church of Augsburg Confession, a Baroque - neoclassic building (end of the 18th Century). The Roman Catholic Church of Cyril and Metod was built in 1939 and the Greek Catholic Church in the middle of the 20th Century. There are two Late Renaissance mansions (17th Century) in the town.

186. World War I Victims Memorial and Greek Catholic Cathedral of the Mother of Perpetual Help
187. Town Authority Building
188. Sculpture of Mother with Her Child at the Square
189. Jednota Department Store
190. Banking Institutions
191. Overall View of the Town
192. Giraltovce Countryside

Hanušovce nad Topľou

It was established in the 14th Century and the first record was in 1332 (Hanusfalva) when King Karol Róbert granted them Prešov town privileges. It developed as a yeomen's town, known for its markets and handcrafted production. Since 1634, there was an Evangelic town latin school here. Andrej Čorba worked here. He was the author of the chronicle about peasant rebellion in 1831 written in vers. The railway Prešov-Hanušovce-Vranov-Strážske was finished in 1943. The Early Gothic Roman Catholic Church (early 14th Century) is one of the most valuable sights. In 1873 the Evangelics built the neoclassic church, changed to the Empire style in 1820. There are two mansions in the town - the older one originally Renaissance is from 1564, the newer in Baroque style (the first half of the 18th Century - today a museum). World War II monuments (Petrovce, Matiaška) are in the surroundings as well as some interesting natural formations in Slanské mountains (The Valley of Giants, Oblík).

193. Overall View of the Town
194. Panoramic View of Hanušovce from the Viaduct
195. Dežőfi Mansion, today a Museum
196. Yellow Drawing-Room in Dežőfi Mansion
197. Countryside of Slanské vrchy Mountains with Oblík Hill
198. „Hanušovské" Rocks
199. Viaduct in Hanušovce
200. Roman Catholic Towerbell

ZUSAMENFASSUNG

Prešov

Altertümliches Prešov, Metropole von Šariš, erstreckt sich auf dem nördlichen Rand des Košicer Talbeckens, auf beiden Ufern des Flußes Torysa. Zum erstenmal ist es (Epuryes) in 1247 erwähnt. Im Jahre 1299 wurden die Stadtprivilegie vom König Ondrej III gewährt. In den folgenden Jahren kamen neue Privilegien zu, dank deren Prešov eine der bedeutendsten Städten in Ungarn wurde. Das evangelische Kolegium machte die Stadt berühmt. Hier studierten oder wirkten viele hervoragende Persönlichkeiten (J. Bayer, I. Caban, J. Rezík, E.Ladiver ml., M. Hodža, J. Záborský, P.O Hviezdoslav u. a.). Sog. Prešover Schlächterei fand in 1687 statt, als General Caraffa 24 Adeligen und Bürger hinrichten ließ. Ein nationales Kulturdenkmal ist die Kirche St. Nikolaus. Wertvoll sind auch Franziskaner Kirche und Kloster, die griechisch-katholische und Orthodoxe Kirche, die evangelische Kirche und die Synagoge. In der Umgebung liegen die Burgruinen (Šariš, Kapušany), historische Denkmäler und Naturschenswürdigkeiten.

1. Neptune Fontäne und das Rathaus
2. Fontäne auf dem Platz „Námestie legionárov"
3. An der Fontäne auf dem Platz „Námestie mieru"
4. Römisch-Katholische kirche von St. Nikolaus
5. Theater von Jonáš Záborský
6. Panoramablick auf Prešover Platz
7. Rathaus, Sitz der Stadtbehörde
8. Caraffas Gefängnis
9. Bürgerhäuser am Hauptplatz
10. Franziskaner Dreifaltigkeitskirche
11. Gotische Tafelgemälde in der St.Nikolaus-Kirche

12. Fassade der griechisch-katholischen Domkirche von Johannes, dem Täufer
13. Hauptbarockaltar in der St. Nikolaus Kirche
14. Von der Liturgie der griechisch-katholischen Domkirche
15. Barockkomplex am Kalvarienberg mit der Kirche des Heiligen Kreuzes
16. Luftaufnahme des historischen Stadtkerns in Prešov
17. Florián Straße
18. Exposition „Mensch und Feuer" im Museum für Völkerkunde
19. Ehemaliger Rakoczi Palast
20. Konfrontation des alten und modernen Prešovs
21. Ehemaliges Gauhaus
22. Straße des 17. Novembers in Blüte
23. Hotel Šariš
24. Florián Tor von der Außenseite
25. Solivar, Interieur der Salzgrube Leopold
26. Haube von Šarišer Tracht
27. Klöppelspitze aus Solivar
28. Šarišer Tracht vom Dorf Kojatice
29. Blick von den Bergspitzen des Gebirge Bachureň
30. Wasserbecken Sigord
31. Skizentrum Búče im Gebirge Bachureň
32. Felsenformation Moses Säule im Canon Lačnov

Humenné

Es liegt am Mittellauf des Flußes Laborec und an seinem Zufluß Cirocha. Die erste schriftliche Urkunde befindet sich in der Aufnahme der Papstzehnten aus den Jahren 1332-1337 (Humenna). Als ein landesherrliches Städtchen der Familie Druget war es zugleich das Zentrum ihrer Feudalherrschaft. Bereits im 17. Jh. gab es hier 5 Zunftorganisationen. Seit dem Ende des 17. Jhss. war Humenné im Besitz von mehreren Landesherren, von denen Andrássy am bedeutendsten war. Die Franziskaner sich in Humenné im 15. Jh. nieder und die Jesuiten m 17. Jh., als auch das Jesuitengymnasium gegründet wurde. Im Jahre 1871 wurde es an die Eisenbahnstrecke Michaľany-Strážske-Humenné angeschlossen. Das älteste und wetvollste kirchliche Denkmal ist die römisch-katholische Pfarrkirche aus dem 14. Jh. und dazu angebautes Kloster der Franziskaner. Das gotische Kastell wurde zu einem repräsentativen Renaissancekastell am Anfang des 17. Jhs. umgebaut (heute das Museum). Die Synagoge ist aus 1795. In der Nähe befinden sich die Burgruinen von Brekov und Jasenov, aber auch die kostbaren Holzkirchen (Topoľa, Kalná Roztoka, Ruský Potok u.a.). In der Stadt gibt es ein Freilichtmuseum.

33. Fassade des Schlosses
34. Panoramablick auf Humenné vom Westen
35. Neues Gesicht der Stadt
36. Vor dem Kulturhaus
37. Gebäude der Stadtbehörde
38. Panorama des Stadtviertels „Sídlisko III"
39. Einkaufszentrum am Platz „Námestie slobody"
40. Denkmal der Stadtbefreier
41. Römisch-katholische Pfarrkirche Allerheiligen
42. Gotisches Interieur der römisch-katholischen Kirche
43. Musealexposition im Schloß
44. Aufgeblühte Beete vor dem Schloß
45. Historisches Programm auf dem Schloßhof
46. Volkskunstprogramm im Freilichtmuseum
47. Tal über dem Dorf Nová Sedlica
48. Freilichtmuseum im Schloßpark
49. Felse auf dem Bergkamm von Bukovské vrchy
50. Urwald auf dem Bergkamm von Bukovské vrchy
51. Holzkirche in Hrabová Roztoka
52. Teil vom Ikonostas der Holzkirche aus Nová Sedlica im Freilichtmuseum

Bardejov

En wirtschaftlich-gesellschaftliches und kulturelles Zentrum des oberen Šariš Gebiets der Vergangenheit sowie auch der Gegenwart. Aus der Marktgemeinde, in 1241 in Ipatijever Jahrbuch (Bardouev) zum erstenmal erwähnt, wurde eine freie Königstadt bis zum Ende des 14. Jahs. Die „Goldene Zeit" der Entfaltung der Kultur und Bildung wurde das 16. Jh., als auch hier das Gedankengut des Renaissance - und Reformationshumanismus heimlich wurde. Mit Bardejov verbanden sich die Schicksäle von L. Stöckel - Pädagog und kirchlicher Reformator, Z. Zarevucius - Barokmusiker und Organist, B. Kéler - Komponist, J. Andraščik - Volksaufklärer u.a. Bardejov ist unter dem Denkmalschutz seit dem Jahre 1952. Für die Pflege der kostbaren Architektur wurde der Stadt die „Goldene Medaile" von UNESCO in 1986 verliehen. Die römisch-katholische gotische Kirche und das Frührenaissance Rathaus sind die nationalen kulturellen Denkmäler. In der Gegend gibt es Bardejover Bad, die Ruinen der Burg Zborov und sieben

Holzkirchen (nationale Kulturdenkmäler), die Mineralquelle Cigeľka und Naturschutzgebiete.

53. Historischer Platz mit dem Rathaus
54. Weihnachtsatmosphere auf dem Rathausplatz
55. Gemalte Fassade des Bürgerhauses
56. Interieur der römisch-katholischen Kirche von St.Egidius
57. Teil des Flügelaltars der Christi Geburt in der Kirche von St. Egidius
58. Gesamtblick auf das alte Bardejov
59. Spätgotisches Rathaus vom Anfang des 16. Jhs.
60. Viereckige Bastei der mittelalterlichen Stadtbefestigung
61. Blick auf Bardejov Kurort
62. Kurkolonnade
63. Kurhaus Ozón
64. Kurhaus Astória
65. Trinkkuren in der Kolonnade
66. Inneneinrichtung eines Dorfhauses im Freilichtmuseum - Bardejov Kurort
67. Ein Paar von der Volkstanzgruppe Čerhovčan
68. Landschaft um Bardejov
69. Holzkirche im Dorf Krivé
70. Ikone von der Holzkirche in Tročany
71. Holzkirche in Hervartov

Stará Ľubovňa

Das zentrum des kleinsten und jüngsten Bezirks liegt im Tal des Flußes Poprad nicht weit von Polen. Die erste schriftliche Urkunde stammt aus 1292 (Libenow). Ein für die Stadt wichtiges Jahr war das Jahr von 1412, als an der hiesigen Burg entschlossen wurde, 13 Zipser Städte an Polen als ein Pfand abzutreten. Das Pfand dauerte 360 Jahre und nur in 1772 wurden die Städte zurückgegeben. Heutiger Zustand des Hauptplatzes stimmt mit dem mittelalterlichen Kern. Die römisch-katholische Pfarrkirche St. Nikolaus, des Bischofs, ist ein frühgotisches Bauwerk vom Anfang des 4. Jhs. Von anderen Sehenswürdigkeiten wird die Burg Stará Ľubovňa am meisten besucht. Heute dient sie als ein Museum. In der Vorburg befindet sich das Freilichtmuseum der Volksarchitektur. Touristisch anziehend sind auch die Bäder Ľubovnianske kúpele und Vyšné Ružbachy. Die Stadt ist ein Ausgangspunkt in einige attraktive Lokalitäten in Zips, z.B. Podolínec, Haligovce, Červený Kláštor u.a.

72. Burg Ľubovňa, südwestliche Bastion und zentraler Turm
73. Panoramablick auf Stará Ľubovňa
74. Markt und der nördliche Stadtviertel
75. Hotel Vrchovina
76. Hauptplatz mit der römisch-katholischen Kirche von St.Nikolaus
77. Neue griechisch-katholische Domkirche der Mutter der Fortdauernde Hilfe
78. Zentrum vor der Stadtbehörde
79. Provinzhaus am Platz
80. Pieniny, Durchbruch des Flusses Dunajec
81. Burgruinen Plaveč
82. Freibad in Vyšné Ružbachy
83. Panorama der Burg Ľubovňa
84. Freilichtmuseum unter der Burg
85. Ľubovnianske kúpele Kurort

Svidník

Die Stadt, die mit den Ereignissen des II. Weltkrieges eng verbunden ist, liegt im nördlichen Teil von Nízke Beskydy. Die erste Urkunde ist aus 1334 (Sudnici). Im Jahre 1414 wurde ein anderes Svidník (Zuvdnegh) gegründet. Bis zum Jahre 1943 existierten nebeneinander Vyšný (Oberes) und Nižný (Unteres) Svidník, als sich unter dem Namen Svidník vereinigten. In den Wintermonaten von 1914-1915 litten beide Gemeinden unter den Kämpfen von russischen und österreichungarischen Heeren. Aber die meisten Opfer forderte die II. Weltkrieg. In Dukla und Svidník sind Tausende sovjetischer, deutscher sowie auch unserer Soldaten begraben. Es gibt hier Denkmäler an diesen Krieg. Svidník ist das Zentrum der Rusinen und Ukrainer der Ostslowakei. Es finden hier Festivale jährlich statt, es gibt in Svidník ein Museum ihrer Kultur aber auch ein militärisch-historisches Museum. Die griechisch-katholische Kirche stammt vom Ende des 18. Jhs. und die Orthodoxe aus der ersten Hälfte des 20. Jhs. Im Kastell von Szirmai ist heute die Galerie von D.Milly unterbracht. Die kostbaren Holzkirchen in Dörfern Bodružaľ, Miroľa u.a. sind meist besuchte Sehenswürigkeiten.

86. Blick auf die Stadt vom Freilichtmuseum
87. Administratives Gebäude der Staatsverwaltung
88. Fontäne am Platz
89. Modernes Krankenhaus
90. Bankhäuser

Vranov nad Topľou

Die altertümliche Zemplíner Stadt liegt im nordwestlichen Ausläufer der Ostslowakischen Ebene auf dem linken Ufer von Topľa. Zum erstenmal wurde sie in den Papstregistern von 1333-1337 angeführt, in denen der Pfarrer Štefa von Vranov (Stephanus de Warano) erwähnt war. Es war ein Bestandteil der Burgherrschaft Čičva. Seine Landesherren waren die Herren aus Rozhanovce sowie auch die Familie Bátory. Im Städtchen fand die Hochzeit (1575) der bekannten blutgierigen Alžbeta Bátory. Drei Zunftorganisationen waren hier vom 16. bis zum 19. Jh. Der Bauernaufstand von 1831 beeinflußte das Leben der Einwohner und der Stadt. Im Jahre 1903 setzte man die Eisenbahnstrecke Trebišov-Vranov in Betrieb und in 1943 dann Prešov-Vranov-Strážske. Keine sekularen Denkmäler blieben erhalten. Kostbar ist die römisch-katolische Pfarrkirche Heiliger Jungfrau aus 1580. In der Umgebung liegt die Burg Čičva (in Ruinen seit 1711) - für Touristen am interessantesten. Einige gotische Kirchen befinden sich in den naheliegenden Dörfer (Soľ, Kučín, Nižný Hrušov u.a.). In Slanské Gebirge gibt es Naturschutzgebiete. Das Wasserbecken Domaša ist ein Ort der Rekreation und Erholung.

Snina

Die nördlichste Stadt des Gebiets Zemplín liegt am Zusammenfluß von Pčolinka und Cirocha, mit den Wäldern von Nízke Beskydy und Vihorlat umgerahmt. Urkundlich ist es (Zynna) in 1343 belegt. Es war im Besitz der Familie Druget aus Humenné und in 1799 verkaufte die Familie Vanderat es an Eisenmagnat Jozef Rholl, der hier in 1815 Eisen-und Hammerwerke gründete. Es wurden landwirtschaftliche Werkzeuge, Gußware, Geschirr u.a. produziert. In den Jahren 1909-1912 wurde die Eisenbahn Humenné-Snina-Stakčín errichtet. Die römisch-katholische Kirche, Finden des Heiligen Kreuzes, ist aus 1847 und die Kapelle der Heiligen Jungfrau in den Hammerwerken in 1887 erbaut. Das Kastell ist vom Ende des 18. Jh. und im Hof befindet sich der Brunnen mit der Statue von Herkules aus 1841. Wunderschöne Umgebung, die kostbaren Holzkirchen (Hrabová Roztoka, Ruský Potok u.a.) und das Naturkleinod „Morské oko" (der See) sind die Ziele der Besucher.

Stropkov

Es liegt auf dem linken Ufer von Ondava in einer wunderschönen Landschaft des Ondava Hügellands. Zum erstenmal war es in den Urkunden in 1404 erwähnt, obwohl es vor der 13. Jh. existierte. In 1404 ist Stropkov (Stropko) schon ein Städtchen - oppidum. Im Jahre 1757 entstand hier sog. große Zunft, ein seltener Fall in der slowakischen Geschichte. Die Erwähnungen über die Schule stammen vom Anfang des 16. Jhs. (1515). Franziskaner - Minoriten ließen sich im 17. Jh. nieder und die Redemptoristen im Jahre 1921. Die Ruinen der ehemaligen Burg befinden sich im Bauwerk des Kastells. Die römisch-katolische Kirche des Heiligsten Liebst des Herrn stammt aus dem 14.Jh. Die griechisch-katholische Kirche wurde in 1947 errichtet. Die Kirche und das Kloster der Franziskaner sind aus 1673 stammende Barockgebäude. Die jüdischen Synagogen existieren nicht mehr. In der Nähe südlich von Stropkov befindet sich Domaša, ein attraktives touristisches Wasserbecken. Tokajík ist durch die vom November 1944 Tragödie bekannt.

Sabinov

Nordwestlich von Prešov befindet sich die ehemalige freie Königsstadt Sabinov. Die erste schriftliche Erwähnung stammt aus 1248 (Szeben). Im Jahre 1299 gewährte Ondrej III der mittelalterlichen Gemeinde die Stadtrechte. Die Stadt ist an kulturelle Geschichte reich. Seit dem Anfang des 15. Jhs. gab es hier eine Schule, die während der Reformation berühmt wurde, als mehrere bedeutende Persönlichkeiten an ihr wirkten. Sabinov ist die Geburtsstadt vom Naturwissenschaftler J. Buchholz, Maler M.T. Kosztka-Csontváry. Der Schauspieler J. Borodáč, die Schriftstellerin J. Cirbusová, der Dichter der Štúr Generation B. Nosák-Nezabudov wirkten auch in Sabinov. Bis heute ist ein Teil der Stadtbefestigung erhalten geblieben. Die Pfarrkirche ist vom Anfang des 14. Jhs. Zwei evangelische Kirchen sind vom Ende des 18. Jhs. und Anfang des 19. Jhs. Im ehemaligen evangelischen Lyzeum war seit 1740 das Piaristische Gymnasium. Heute ist hier das Stadtmuseum. Das Erholungszentrum Drienica ist von großer Bedeutung.

Medzilaborce

Im nördlichen Teil des Gebirges Nízke Beskydy, ein paar Kilometer von der polnischen Grenze liegt Medzilaborce, ein wichtiges Zentrum von Rusinen und Ukrainern. Es wurde in der zweiten Hälfte des 15. Jhs. gegründet, aber zum erstenmal (Kis Laborcz) in 1543 erwähnt. Durch eine allmähliche Entwicklung (nicht dank der Privilegien) wurde es zu einem Städtchen, das unter den Kriegsereignissen des ersten und zweiten Weltkrieges sehr litt. Jährlich finden hier Festivale von Kultur, Sport, Drama und Kunstschaffen für Rusinen und Ukrainer statt. Seit dem Jahre 1991 gibt es hier das Museum der Modernen Kunst der Familie Warhol. Die älteste sakrale Sehenswürdigkeit ist die griechisch-katholische Kirche St. Basilius, des Großen vom Ende des 18. Jh. Die griechischkatholische Kirche, Heiliger Jungfrau ist aus 1903. Zur Stadtdominante wurde aber die Orthodoxe Kirche aus 1949 im Altrussischen Stil. Es gibt hier gute Bedingungen für Wanderung im Sommer sowie auch im Winter.

Veľký Šariš

Das administrative Zentrum des ehemaligen Šarišer Gaus befindet sich nördlich von Prešov unter der Šarišer Burg. In den Urkunden wurde es (Sarus) seit 1217 erwähnt. Seine Geschichte ist mit der Geschichte der Burg eng verbunden, die urkundlich im 13. Jh. belegt war. Sie wurde aber im vorangehenden Jarhundert erbaut. Seit dem 19. Jh. befindet sich hier eine moderne Dampfmühle (1856) und seit dem Jahre 1967 die bekannte Brauerei. Im Städtchen lebte der Dichter Jozef Tomášik-Dumín in der Zwischenkriegszeit. Die Burg liegt seit 1687 in Ruinen. Im 16. Jh. war hier Kapitän Juraj Werhner, der Autor der Behandlung „Über wundersame Wasser Ungarns". Die römisch-katholische Kirche. St. Jakob stammt aus der zweiten Hälfte des 13. Jhs. Die gotische Kapelle ist aus der Mitte des 14. Jh. und die Kapelle im Friedhof vom Ende des 17. Jh. Die Šarišer Burg ist ein Naturschutzgebiet.

Lipany

liegt nordwestlich von der Stadt Sabinov an dem Oberlauf des Flußes Torysa. In der ältesten Urkunde aus dem Jahre 1312 hieß die Gemeinde Sieben Leipen (Septem Tiliis). Die deutschen Gäste ließen sich hier am Ende des 15. Jhs. nieder. Anfang des 15. Jhs. wurde Lipany als ein Untertatenstädtchen (oppidum) erwähnt. Vom Ende des 16. Jhs. stammen die ersten Mitteilungen über die Schule und den Lehrer. Die wertvollste Stadtsehenswürdigkeit ist die römisch-katholische Kirche St. Martin, des Bischofs. Ursprünglich ein gotisches Bauwerk wurde 1493 erweitert und im 16. Jh. in Renaissancestil und in der Mitte des 18. Jhs. in Barockstil umgebaut. Die Inneneinrichtung der Kirche ist historisch sehr wertvoll. Für Besucher ist auch die Umgebung interessant - die Burgruinen in Kamenica und Hanigovce. Gutes Skigelände gibt es in Dubovica, Renčišov und die bekannte Mineralquelle Salvátor in Lipovce.

Strážske

Das Städtchen liegt im nördlichen Teil der Ostslowakischen Ebene. Zum erstenmal ist es (Ewrmezew - Strážne Pole) in 1337 erwähnt. Die Gemeinde wurde von den königlichen Wächtern im 12. Jh. gegründet. Im 15. Jh. war es im Besitz von mehreren Landesherren. Es gab hier eine alte Mühl - und Weintradition. Der erste Zug kam in Strážske in 1871 an. Am Ende des 19. Jhs wurde eine kleine Erdölraffinerie errichtet. In 1943 vollendete man die andere Eisenbahnstrecke, die Strážske mit Prešov verband. Mehrere Persönlichkeiten sind mit dem Städtchen verbunden (das Stadtstatus in 1968): Schriftsteller I. Danilovič, P. Sabolová-Jelinková, der Schauspieler E. Bindas, bildende Künstler J. Hák, M. Rogovský usw.Die römisch-katholische Kirche stammt aus 1821, die griechisch-katholische aus 1794. Strážske ist ein Ausgangspunkt zu den Burgen Brekov und Vinné, aber auch zum see Zemplínska Šírava.

Giraltovce

Am Zusammenfluß der Flüsse Topľa und Radomka liegt ein Städtchen, das (Gerath) in 1416 zum erstenmal erwähnt wurde. Bis 1848 war es im Besitz von mehreren Feudalfamilien. Die Kirche und das katholische Pfarrhaus sollen bereits am Ende des 14. Jhs. existiert haben. Im 17. Jh. gelang es in Besitz von den evangelischen Landesherren. In den Jahren 1831-1851 wirkte hier der evangelische Pfarrer Adam Hlovík, der bekannte Volksliedersammler, der Autor der Kirchenlieder und Teilnehmer an der nationalen Wiedergeburt. In der Stadt ist Ján Hvezda geboren - der in Šarišer Dialekt schreibende Dichter. Giraltovce ist seit der Hälfte des 19. Jhs. eine Bezirkstadt mit vielen Institutionen. Von den sakralen Gabäuden ist das älteste Bauwerk die evangelische Kirche der Augsburger Konfession vom Ende des 18. Jhs., ein Barock-klassizistisches Gebäude. Die römisch-katholische Kirche, St. Cyril und Metod, ist vom Jahre 1939. Die griechisch-katholische Kirche stammt aus der zweiten Hälfte des 20. Jhs. In dem Städtchen gibt es zwei Spätrenaissance Kastelle aus dem 17. Jh.

Hanušovce nad Topľou

Es wurde Anfang des 14. Jhs. gegründet und die erste schriftliche Urkunde stammt aus 1332 (Hanusfalva), als der König Karol Róbert ihm die Stadtprivilegien von Prešov gewährte. Hanušovce entfaltete sich als ein Städtchen der Landesherren, das vor allem durch seine Märkte und Handwerkerproduktion bekannt wurde. Seit dem Jahre 1634 war hier die evangelische städtische Lateinschule. Andrej Čorba, der Autor des in Versen geschriebenen Jahrbuches über den Bauernaufstand von 1831, wirkte in Hanušovce. Im Jahre 1943 wurde die Eisenbahnstrecke Prešov-Hanušovce-Vranov-Strážske vollendet. Zu den wertvollsten Denkmälern gehört die frühgotische römisch-katholische Kirche vom Anfang des 14. Jhs. In 1873 wurde die klassizistische evangelische Kirche erbaut - in 1820 im Empirstil umgebaut. In Hanušovce befinden sich zwei Kastelle - das ältere,ursprünglich im Renaissancestil, ist aus dem Jahre 1564 und das jüngere, im Barock, aus der ersten Hälfte des 18. Jhs. (heute das Museum). In der Umgebung befinden sich die Denkmäler des zweiten Weltkrieges (Petrovce, Matiaška) und interessante Naturformationen in Slanské Gebirge (Tal der Riesen, Oblík).

RÉSUMÉ

Prešov

Le Prešov ancien, métropole du Šariš, est situé dans la partie nord du bassin de Košice, sur les deux rives de la Torysa. La première mention écrite vient de 1247 (Epuryes). En 1299, le roi André III accorda à Prešov les droits urbains. Au cours des siècles suivants, d'autres privilèges y ont été ajoutés grâce auxquels Prešov devint l'une des villes les plus importantes de Hongrie. L'existence du Collège évangélique donna une excellente réputation à la ville. Des dizaines de personnalités éminentes y ont enseigné ou étudié (J. Bayer, I. Caban, J. Rezík, E. Ladiver jeune, M. Hodža, J. Záborský, P. O. Hviezdoslav et autres encore). La soi-disant boucherie de Prešov s'est passée en 1687 où le général Caraffa fit exécuter 24 nobles et bourgeois. La ville est un trésor de monuments artistiques et historiques. L'église Saint-Nicolas est monument culturel classé. Rares sont également l'église et le couvent de franciscains, les églises catholique grecque et orthodoxe, le temple évangélique et la synagogue. Dans le environs, il y a des ruines de plusieurs châteaux forts (Šariš, Kapušany) ainsi que des curiosités historiques et naturelles.

Humenné

La ville est située sur le cours moyen de la rivière Laborec et de son affluent la Cirocha. La première mention écrite concernant Humenné se trouve dans l'inventaire des dîmes papales de 1332-1337 (Humenna). En tant que ville seigneuriale de la famille Druget elle fut en même temps le centre de son vaste domaine féodal. Au 17e siècle déjà il y avait cinq corps de métier. Depuis la fin du 17e siècle il y a eu plusieurs changements de propriétaire de la ville, mais les Andrassy étaient les seigneurs les plus importants. Les franciscains se sont installés à Humenné au 15e siècle et les jésuites au 17e siècle où l'on fonda aussi un collège de Jésuites. En 1871, la ville a été liée au voie ferrée Michaľany - Strážske - Humenné. Le monument religieux le plus ancien et le plus précieux est l'église paroissiale catholique romaine du 14e siècle et le couvent de franciscains qui lui fut joint en annexe. Le château gothique fut transformé au début du 17e siècle en château représentant le style Renaissance (un musée aujourd'hui). La synagogue date de 1759. Dans les environs se trouvent les ruines des châteaux forts de Brekov et de Jasenov et également des églises rares en bois (Topoľa, Kalná roztoka, Ruský Potok et autres encore). Dans la ville il y a un musée en plein air.

Bardejov

Centre économique, social et culturel du haut Šariš dans le passé et dans le présent. D'un petit hameau, lieu de marchés, mentionné pour la première fois en 1241 dans les annales d'Ipatiev (Bardouev) naquit, avant la fin du 14e siècle, une ville royale libre (1376). Le 16e siècle représente l'âge d'or de la culture et du savoir, les courants de la pensée humaniste due à la Renaissance et à la Réforme s'étant implantés dans la ville. Ont lié leurs destins avec Bardejov: L. Stöckel, pédagogue et réformateur de l'Eglise; Z. Zarevucius, musicien et organiste baroque; B. Kéler, compositeur; J. Andraščík, éveilleur de la nation, et autres encore. Depuis 1952, Bardejov est une ville classée. En 1986, elle a obtenu la Médaille d'or de l'UNESCO de sauvetage de l'architecture précieuse. L'église gothique catholique-romaine et l'hôtel de ville Renaissance primitive sont des monuments culturels nationaux classés. Dans les environs de la ville se trouvent: Bardejovské Kúpele - une station thermale; les ruines du château de Zborov; sept petites églises en bois - monuments culturels classés; la source d'eau minérale Cigeľka et des réserves naturelles.

Stará Ľubovňa

Le chef-lieu du plus petit et du plus jeune district est situé dans la vallée de la Poprad, non loin de la frontière polonaise. La première mention écrite vient de 1292 (Libenow). En 1412, l'année mémorable pour la ville, au château local, eut lieu un acte fatal: la mise en gage des 13 villes de Spiš à la Pologne. La durée de la gage était de 360 années et la remise s'est faite en 1772. L'état actuel de la grand-place est identique au noyau médiéval. L'église paroissiale catholique romaine Saint-Nicolas L'évêque est un édifice en style gothique primaire du début du 14e s. Le château fort de Stará Ľubovňa, abritant aujourd'hui des collections de musée, est le monument profane le plus visité. Au pied du château, il y a un musée en plein air d'architecture populaire. Les touristes aiment visiter les stations thermales de Ľubovnianske kúpele et de Vyšné Ružbachy. La ville est un point de départ des visites de plusieurs localités attrayantes de Spiš, telles que Podolínec, Haligovce, Červený Kláštor et autres.

Svidník

La ville, située dans la partie nord des Basses Beskides, a été touchée par des événements de la seconde guerre mondiale. La première mention date de 1334 (Sudnici). En 1414, apparut un deuxième Svidník (Zuydnech). Jusqu'en 1943, ils existaient l'un à côté de l'autre: le Svidník Supérieur et le Svidník Inférieur. Non ils se réunis par la suite sous la commun de Svidník. En hiver 1914-1915, les deux villes ont été touchées au cours des batailles des armées russe et austro-hongroise. Cependant, c'est la seconde guerre mondiale qui a causé le plus grand nombre de victimes. Des milliers de soldats soviétiques, allemands et tchécoslovaques sont enterrés à Dukla et à Svidník. Il y a des monuments à cette guerre. Svidník est le centre des Ruthènes et des Ukrainiens vivant en Slovaquie Orientale. Tous les ans, il y a des festivals, il y a un musée de leur culture et aussi un musée d'histoire militaire. L'église catholique grecque remonte à la fin du 18e siècle, l'église orthodoxe date de la première moitié du 20e siècle. Le château Sirmai abrite une Galerie de tableaux de D. Milly. Les églises rares en bois dans les communes de Bodružaľ, Miroľa et autres, sont les monuments les plus recherchés.

Vranov nad Topľou

Cette ville ancienne de Zemplín est située à l'extrémité nord-ouest de la plaine de la Slovaquie Orientale, sur la rive gauche de la Topľa. Elle est mentionnée pour la première fois dans les registres papaux de 1333-1337 où l'on rappelle le curé Etienne de Vranov (Stephanus de Warano). Elle fit partie du domaine appartenant au château de Čičva, possession des seigneurs de Rozhanovce mais aussi des Bátory. On y a célébré le mariage de la fameuse Elisabeth Bátory, avide de sang. (1575). Trois corps de métier y existaient aux 16e-19e siècles. Le soulèvement paysan de 1831 a touché la ville et ses habitants. En 1903, on a mis en service la voie ferrée reliant Vranov à Trebišov et en 1943, la ligne ferroviaire Prešov - Vranov - Strážske. Les monuments profanes ne se sont pas conservés. Précieuse est l'église paroissiale catholique romaine de la Vierge Marie de 1580. Dans les environs de Vranov, le monument le plus intéressant est le château de Čičva, en ruine depuis 1711. On trouve plusieurs églises gothiques dans les communes proches (Soľ, Kučín, Nižný Hrušov, etc.). Dans les monts Slanské vrchy, il y a des réserves naturelles et le réservoir d'eau à Domaša est un lieu de loisirs et de repos.

Snina

Entourée de forêts des Basses Beskides et des monts Vihorlat, la ville est située sur le confluent de la Pčolinka et de la Cirocha à l'est du Zemplín. Elle est attestée dans un document écrit en 1343 (Zynna). Elle fut en la possession des Druget de Humenné et en 1799, Jozef Rholl, magnat de l'industrie du fer, l'a rachetée aux Vandernát. En 1815, celui-ci y fonda une sidérurgie et une forge. On y fabriquait des machines agricoles, des produits en fonte, la vaisselle, etc. Dans les années 1909-1912, on a construit la ligne ferroviaire Humenné - Snina - Stakčín. L'église catholique romaine de la Ste Croix retrouvée date de 1847 et la chapelle de la Vierge Marie, bâtie dans la forge de Snina, de 1887. Le château a été construit à la fin du 18e siècle: dans sa cour, le puits surmonté d'une statue d'Hercule date de 1841. Les environs superbes, les petites églises en bois (à Hrabová Roztoka, Ruský Potok et ailleurs) et le lac Morské oko, joyau de la nature, attirent les visites de touristes.

Stropkov

Mentionné pour la première fois dans les actes en 1404 bien qu'ayant existé avant le 13e siècle déjà, il est situé sur la rive gauche de l'Ondava dans un décor superbe de montagnes Ondavská vrchovina. En 1404, Stropkov (Stropko) est déjà une bourgade (oppidum). En 1757, on y a créé le soi-disant grand corps de métier, cas unique de l'histoire de Slovaquie. Les mentions concernant l'école viennent du début du 16e siècle (1515). Les franciscains-mineurs s'y sont installés au 17e siècle et les rédemptoristes, en 1921. Les restes de l'ancien château fort sont conservées dans l'édifice à étages du château actuel. L'église paroissiale catholique romaine du Corps Sanctissime du Christ remonte au 14e siècle. L'église catholique grecque a été bâtie en 1947. L'église et le couvent des franciscains, en style baroque, sont de 1673. Les synagogues juives ne se sont pas conservées. Non loin de Stropkov, direction sud, se trouve Domaša, réservoir d'eau attirant beaucoup de touristes. En novembre 1944, les événements tragiques se sont produits à Tokajík.

Sabinov

Au nord-ouest de Prešov se trouve l'ancienne ville royale libre de Sabinov. La première mention écrite vient de 1248 (Sceben). En 1299, le hameau moyenâgeux obtint les droits urbains du roi André III. La ville se distingue par une riche histoire culturelle. L'existence d'une école est attestée dès le début du 15e siècle. Celle-ci s'est distinguée pendant la Réforme où plusieurs personnalités y enseignaient. Sabinov est le lieu de naissance de J. Buchholtz, naturaliste, et de M. T. Kosztka-Csontváry, peintre. Y ont exercé leur activité: J. Borodáč, acteur, J. Cirbusová, femme de lettres, B. Nosák-Nezabudov, poète de l'école de Štúr. Une partie des remparts municipaux se sont conservés jusqu'à nos jours. L'église catholique paroissiale date du début du 14e siècle, deux temples évangéliques de la fin du 18e et du début du 19e siècles. L'ancien lycée évangélique abritait depuis 1740 un lycée piariste. Aujourd'hui, c'est un musée municipal. Drienica-Lysá est une station de sports et de repos de large importance.

Medzilaborce

Dans la partie nord des Basses Beskides, à quelques kilomètres de la frontière polonaise, se trouve Medzilaborce, centre important de Ruthènes et d'Ukrainiens. Fondé dans la deuxième moité du 16e siècle, il n'est mentionné pour la première fois qu'en 1543 (Kis Laborcz). C'est au fur et à mesure d'un développement continu (et non par l'obtention de privilèges) qu'il acquit le caractère d'une petite ville qui a extrêmement souffert au cours de la première et de la deuxième guerre mondiale. Des festivals de la culture, des sports, de l'art dramatique et de la déclamation artistique y sont organisés tous les ans à l'intention des Ruthènes et des Ukrainiens. En 1991, on y a établi le Musée d'art moderne de la famille Warhol. Le monument religieux le plus ancien de la ville est l'église catholique grecque Saint-Basil le Grand de la fin du 18e siècle. L'église catholique romaine de la Vierge Marie date de 1903 et l'église orthodoxe, dominante de la ville, en style vieux russe date de 1949. Le tourisme a de bonnes possibilités en été ainsi qu'en hiver.

Veľký Šariš

Le centre administratif de l'ancien comitat de Šariš est situé au nord de Prešov, au pied du château fort de Šariš. Les documents le mentionnent depuis 1217 (Sarus). Son histoire est liée à celle du château de Šariš, attesté au 13e siècle mais construit déjà au siècle précédent. Depuis le 19e siècle, il y a un moulin à vapeur moderne (1856) et depuis 1967, une brasserie renommée. A l'entre-deux-guerres, y vécut Jozef Tomášik-Dumín, poète. Le château est en ruine depuis 1687. Au 16e siècle, son capitaine Juraj Werhner, était l'auteur de l'oeuvre Des eaux merveilleuses de Hongrie. L'église catholique romaine Saint-Jacques remonte à la deuxième moitié du 13e siècle. La chapelle gothique date de la moitié du 14e siècle et la chapelle du cimetière, de la fin du 17e siècle. Le château de Šariš est une réserve naturelle.

Lipany

La ville est située au nord-ouest de Sabinov sur le cours supérieur de la Torysa. Dans le document le plus ancien de 1312, le hameau s'appelle Sedem líp (Sept Tilleuls, Septem Tiliis). Des hôtes allemands s'y installèrent vers la fin du 13e siècle. Au début du 15e siècle, elle est mentionnée comme ville en fief (oppidum). De la fin du 16e siècle datent les premières informations concernant l'école et l'instituteur. Parmi les curiosités de la ville, la plus rare est l'église catholique romaine Saint-Martin l'évêque. Edifice gothique à l'origine, il fut élargi en 1493 et transformé en style Renaissance au 16e siècle et en style baroque dans la moitié du 18e siècle. C'est surtout l'intérieur de l'église qui est rare du point de vue artistique et historique. Intéressants pour les touristes sont également les environs de la ville: on trouve des restes de châteaux moyenâge à Kamenica et à Hanigovce. Il y a de bons terrains de ski près de Dubovica et Renčišov et une source d'eau minérale Salvátor à Lipovce.

Strážske

La petite ville est située dans la partie nord de la plaine de la Slovaquie Orientale. Elle est mentionnée pour la première fois en 1337 (Ewrmezew - Strážne Pole - Champ de garde). Le hameau a été fondé au début du 12e siècle par des gardes royales. Au 15e siècle, il est en la possession de plusieurs seigneurs. Il y avait une vieille tradition de meunerie et de viticulture. Le premier train est arrivé à Strážske en 1871. Vers la fin du 19e siècle, on y a construit une petite raffinerie du pétrole. En 1943, on a mis en service une deuxième ligne ferroviaire qui unit Strážske à Prešov. Plusieurs personnalités ont lié leur vie à la ville (elle a eu son statut de la ville en 1968): I. Danilovič, écrivain, P. Sabolová-Jelinková, femme écrivain, E. Bindas, comédien, J. Hák et M. Rogovský, artistes, et autres encore. L'église catholique romaine date de 1821 et l'église catholique grecque, de 1794. Strážske sert de point de départ pour visiter les châteaux de Brekov et de Vinné et le barrage de Zemplínska Šírava.

Giraltovce

Au confluent de la Topľa et de la Radomka est située cette petite ville mentionnée pour la première fois en 1416 (Geralth). Jusqu'en 1848, elle appartint aux nombreuses familles féodales. Vers la fin du 14e siècle déjà, une église et une cure catholiques y existaient vraisemblablement. Au 17e siècle, elle est déjà sous la dépendance de seigneurs évangéliques. Dans les années 1831-1851, y a travaillé Adam Hlovik, curé évangélique, collectionneur célèbre de chansons populaires, compositeur de chants d'Eglise et acteur de la renaissance nationale. C'est ici qu'est né Ján Hvezda, poète écrivant en dialecte du Šariš. Depuis la seconde moitié du 19e siècle, la ville est le chef-lieu de district et le siège d'autres institutions. Parmi les édifices sacrés, le plus ancien est le temple évangélique en style baroque-classique de la fin du 18e siècle. L'église catholique romaine Saint-Cyrille et Saint-Méthode date de 1939 et l'église catholique grecque date de la moitié du 20e siècle. Il y a deux châteaux Renaissance tardive du 17e siècle.

Hanušovce nad Topľou

La ville fut fondée au début du 14e siècle et la première mention écrite date de 1332 (Hanusfalva), l'année où le roi Charles Robert lui accorda les droits urbains égaux à ceux de Prešov. Elle s'est développée comme une ville seigneuriale connue par ses marchés et sa production artisanale. Depuis 1634, une école municipale latine évangélique y existait. Y a travaillé Andrej Čorba, auteur d'une chronique en vers du soulèvement paysan de 1831. En 1943 fut achevée la construction de la ligne ferroviaire Prešov - Hanušovce - Vranov - Strážske. Parmi les monuments les plus précieux il y a l'église catholique romaine en style gothique primaire du début du 14e siècle. En 1783, les évangéliques ont construit une église en style classique, remaniée en style Empire en 1820. Dans la ville il y a deux châteaux: le plus ancien, en style Renaissance à l'origine, date de 1564 et le plus récent, en style baroque, de la première moitié du 18e siècle (il abrite aujourd'hui un musée). Dans les environs il y a des monuments à la Deuxième guerre mondiale (Petrovce, Matiaška) et des formations naturelles intéressantes dans les monts Slanské vrchy (la Vallée des géants, l'Arrondi).

STRESZCZENIE

Prešov

Starożytny Preszów, metropolia Szarisza, leży na północnym skraju Kotliny Koszyckiej, po obu brzegach Torysy. Pierwszy przekaz źródłowy pochodzi z r. 1247 (Epyrues). W r. 1299 król Ondrej III nadał Preszowu przywileje miejskie. W następnych stuleciach przybyły nowe przywileje, dzięki czemu Preszów został jednym z czołowych miast na Węgrzech. Wielką sławę miastu przyniosło kolegium ewangelickie, na którym studiowały liczne wybitne postaci (J. Bayer, I. Caban, J. Reznik, E. Ladiver mł., M. M. Hodža, J. Zaborský, P. O. Hviezdoslav). Tak zwana krwawa rzeź odbyła się w r. 1687, gdy generał Caraffa dał nakaz stracić 24 szlachciców i mieszczan. Miasto jest skarbnicą pamiątek artystyczno-historycznych.

Narodową pamiątką kulturalną jest kościół Św. Mikołaja. Cenne są też kościół i klasztor Franciszkanów, cerkiew grecko-katolicka i prawosławna, kościół ewangelicki i bóżnica. W okolicy znajdują się ruiny kilka zamków (Szarisz, Kapuszany), atrakcje historyczne i przyrody.

Humenné

Leży nad średnim biegiem rzeki Laborec i jego dopływem Cirochą. Pierwszy przekaz źródłowy o Humennym znajduje się na liście podatków papieskich z lat 1332-1337 (Humena) Miasteczko to było majątkiem rodziny Drugetów, jednocześnie tworzyło też centrum ich rozległych dóbr feudalnych. Już w XVII w. tu działało pięć organizacji cechowych. Od końca XVII w. dosyć często zmieniali się właściciele miasteczka, z których najbardziej znani byli Andraszyowie. Zakon Franciszkanów osiadł w Humennym w XV w. i Jezuitów w XVII w., gdy założono też kolegium jezuickie. W r. 1871 miasto połączono z linią kolejową Michalany-Strażskie-Humenne. Najstarszym i najcenniejszym zabytkiem sakralnym jest parafialny kościół rzymskokatolicki ze XIV w. i obok wzniesiony klasztor Franciszkanów. Pałac gotycki był przebudowany na początku XVII w. na reprezentacyjny pałac w stylu renesansowym (obecnie mieści się w nim muzeum). Bożnica pochodzi z r. 1795. Niedaleko stąd znajdują się ruiny zamków Breków i Jasenów, cenne są też drewniane cerkiewki (Topola, Kalna Roztoka, Ruski Potok). W mieście jest też skansen.

Bardejov

W przeszłości i teraźniejszości centrum kulturalno-społeczne i gospodarcze północnego Szarisza. Z małej osady handlowej, po raz pierwszy wspomnianej w r. 1241 w Ipacijewskiej kroni-

ce (Bardouev), wyrosło do końca XIV w. wolne miasto królewskie (1376). Tak zwanym złotym wiekiem rozwoju kultury i wykształcania było w XVI stulecie, gdy też tu zapuściły korzenie prądy myślowe humanizmu renesansowego i reformacyjnego. Z Bardejowem połączyli swoje losy L. Stöckel, pedagog i reformator kościelny, Z. Zarevucius, muzyk barokowy i dalszy. Bardejov jest od r. 1952 rezerwatem zabytków architektonicznych. Za uratowanie cennej architektury zdobył w r. 1986 Złoty medal UNESCO. Gotycki kościół rzymskokatolicki Św. Egidiusza i wczesnorenesansowy ratusz są narodowymi zabytkami kulturalnymi. W okolicy znajduje się areal Uzdrowiska Kąpiele Bardejowskie, ruiny zamku Zborów i siedem drewnianych cerkwi - narodowych zabytków kulturalnych, źródło wody mineralnej Cigeľka i rezerwaty przyrody.

Stará Ľubovňa

Siedziba najmniejszego i najmłodszego powiatu leży w dolinie Popradu, niedaleko od granicy z Rzeczpospolitą Polską. Piewszy przekaz źródłowy pochodzi z r. 1292 (Libenow). Pamiętnym dla miasta jest r. 1412, gdy na tutejszym zamku odbyło się zebranie, na którym zostało przyjęte fatalne postanowienie o przekazie 13 spiskich miast do zastawu Polsce. Zastaw ten trwał 360 lat i miasta wróciono aż w r. 1772. Rynek do dziś utrzymał średniowieczny charakter. Rzymskokatolicki kościół parafialny Św. Mikołaja jest wczesnogotycką budowlą z początku XIV w. Ze świeckich zabytków odwiedzany jest zamek Stara Lubowla, w którym obecnie mieści się muzeum. W podzamczu znajduje się skansen architektury ludowej. Dla turystów jest atrakcyjne też Uzdrowisko w Nowej Lubowli i w Rużbachach Wyżnich. Miasto jest punktem wypadowym do kilka atrakcyjnych miejsc Spisza - do Podolinca, Haligowiec, Czerwonego Klasztoru i dalszych.

Svidník

Miasto, którego nazwa kojarzy się z wojennymi wydarzeniami drugiej wojny światowej, leży w północnej części Niskich Beskidów. Pierwszy przekaz źródłowy pochodzi z r. 1334 (Suidnici). W r. 1414 powstał drugi Svidnik (Zuydnegh). Do r. 1943 istniały obydwa - Svidnik Wyżni i Niżni, później ich połączono do jednej miejscowości ze wspólną nazwą - Svidník. W zimie r. 1914-1915 obu Svidníków dotknęła bitwa wojska rosyjskiego i austro-węgierskiego. Ale największe ilość ofiar pochłonęła druga wojna światowa. Na Dukle i we Svidniku pochowano tysiące żołnierzy radzieckich, niemieckich, słowackich i czeskich. Wzniesiono pomniki tych ofiar. Svidnik jest centrum Rusinów i Ukraińców, żyjących we wschodniej Słowacji. Co rok odbywają się tu festiwale, znajduje się tu muzeum ich kultury, również i historyczne muzeum wojenne. Cerkiew greckokatolicka pochodzi z końca XVIII w. i prawosławna z pierwszej połowy XX w. W pałacu Sirmaiów mieści się Galeria D. Millyego. Zabytkowe cerkiewki drewniane w sąsiednich wsiach (Bodružaľ, Miroľa i inne) są najczęściej poszukiwanymi przez turystów.

Vranov nad Topľou

Zabytkowe miasto w regionie Zemplin, położone w północno-zachodniej części Niziny Wschodniosłowackiej na lewym brzegu rzeki Toplę. Po raz pierwszy udokumentowany w rejestrach papieskich z lat 1333-1357, gdzie wspomina się proboszcz Stefan z Wranowa (Stephanus de Warano). Był częścią dóbr zamku Czyczwa. Jego właścicielami byli feudalni panowie z Rozhanowiec, ale też Batorowie. W miasteczku tym odbyło się wesele słynnej krwiożerczyni Elżbiety Batory (1575). W XVI - XIX w. istniały tu różne organizacje cechowe. Powstanie chłopskie w r. 1831 dotknęło też tego miasteczka i jego obywateli. W r. 1903 ukończono budowę linii kolejowej Trebiszów - Wranów i w r. 1943 Preszów - Wranów - Strażskie. Zabytki świeckie się nie zachowały. Cennym zabytkiem sakralnym jest rzymskokatolicki kościół parafialny Maryi Panny z r. 1580. W okolicy Wranowa najczęściej odwiedzany to zamek Czyczwa, który od r. 1711 jest w ruinach. Kilka gotyckich kościołów znajduje się w przyległych wsiach (Soľ, Kučín, Nižný Hrušov). W Słańskich wierchach są rezerwaty przyrody i sztuczny zbiornik wodny Domasza jest miejscem wypoczynku i sportów wodnych.

Snina

Najwschodniejsze miasto regionu Zemplin leży nad wpadem Pczolinki do rzeki Cirochi, otoczone lasami Niskich Beskidów. Piewsza wzmianka piśmienna pochodzi z r. 1343 (Zynna). Była własnością rodziny Drugetów, w r. 1799 ją od rodziny Wandernsich odkupił magnat żelaza Józef Rholl, który tu w r. 1815 ugruntował hutę. Wyrabiano tu narzędzie rolnicze, produkty żeliwne, naczynie kuchenne i t.d. W latach 1909 - 1917 zbudowano linię kolejową Humenne-Snina-Stakczyn. Rzymskokatolicki kościół Znalezienia Św. Krzyża pochodzi z r. 1887, kaplica Maryi Panny w sninskich kuźnicach została zbudowana w r. 1887. Budynek pałaca jest z końca XVIII stulecia i na dziedzińcu znajduje się studnia z posągiem Herkulesa z r. 1841. Cudowna okolica i cenne cerkiewki drewniane (Hrabová Roztoka, Ruský Potok) oraz klejnot przyrody Morskie oko są celem licznych wycieczek turystycznych.

Stropkov

Leży na lewym brzegu rzeki Ondawy w przepięknej scenerii Ondawskich wierchów. Po raz pierwszy wspomina się w dokumentach z r. 1404, chociaż istniał już przed XIII w. W r. 1404 Stropkov już jest miasteczkiem poddańczym - oppidum. W r. 1757 powstał w miasteczku tak zwany wielki cech, rzadki przypadek w historii Słowacji. Wiadomości o szkole pochodzą z początku XVI stulecia (1515). Zakon Franciszkanów osiadł tu w XVII w. i zakon Redemptorów w r. 1921. Reszty byłego zamku znajdują się w piętrowym budynku pałaca. Rzymskokatolicki kościół parafialny Najświętszego Ciała Chrystusa pochodzi ze XIV w. Cerkiew greckokatolicką wzniesiono w r. 1947. Kościół i klasztor Franciszkanów jest barokową budowlą z r. 1673. Bożnice się nie zachowały. Niedaleko od Stropkowa, w południowym kierunku rozprzestrzenia się Domasza, atrakcyjny dla turystów sztuczny zbiornik wodny. Tokajik jest znany przez tragedię z listopadu 1944 r.

Sabinov

Na północno-zachód od Preszowa znajduje się dawne wolne miasto królewskie Sabinów. Pierwsza wzmianka piśmienna pochodzi z r. 1248 (Sceben). W r. 1299 średniowieczna osada otrzymała przywileje miejskie od Ondreja III. Miasto ma bogatą historię kulturalną. Od początku XV w. jest udokumentowana szkoła, która zasławiła miasto w czasie reformacji, gdy tu działało kilku wybitnych postaci. W Sabinowie urodził się przyrodnik J. Buchholtz, malarz M. T. Kosztka-Csontváry. Żyli i pracowali tu i wybitni Słowacy - poeta szkoły Ľ. Sztura B. Nosák-Nezabudov, artysta J. Boródáč, pisarka J. Cirbusová. Do dziś zachowały się fragmenty miejskich murów obronnych. Rzymskokatolicki kościół parafialny pochodzi z początku XIV w. Dwa kaścioły ewangelickie są z końca XVIII i początku XIX w. W byłym kolegium ewangelickim od r. 1740 ulokowano liceum Piarów. Obecnie mieści się w nim muzeum. Regionem wypoczynkowym szerokiego znaczenia jest Drienica.

Medzilaborce

W północnej części Niskich Beskidów, kilka kilometrów od polskiej granicy leżą Międzylaborce, ważny ośrodek Rusinów i Ukraińców. Miasteczko to założono w drugiej połowie XV w., ale pierwsza wzmianka piśmienna pochodzi z r. 1543 (Kis Laborcz). Stopniowym rozwojem (a nie otrzymaniem przywilejów miejskich) zdobyły charakter miasteczka, które poniosło bardzo dużą stratę w skutek wydarzeń wojennych podczas pierwszej i drugiej wojny światowej. Co rok odbywają się tu festiwale kultury i sportu, dramatu i słowa artystycznego dla Rusinów i Ukraińców. Od r. 1991 tu urządzono Muzeum Sztuki Współczesnej rodziny Warholów. Najstarszym miejskim zabytkiem sakralnym jest cerkiew greckokatolicka Św. Bazila Wielkiego z końca XVIII w. Rzymskokatolicki kościół Maryi Panny wzniesiono w r. 1903. Dominantą miasteczka jest cerkiew prawosławna, która została zbudowana w r. 1949 w stylu staroruskim. Dobre są możliwości dla turystyki letniej i zimowej.

Veľký Šariš

Siedziba byłego Regionu Szariskiego znajduje się na północ od Preszowa, u podnoża zamku Szarisz. W dokumentach wspomina się w r. 1217 (Sarus). Jego historia łączy się z historią zamku Szarisz, który jest udokumentowany w XIII w., ale zbudowano go już w poprzednim roku. Od XIX w. znajduje się tu młyn parowy (1856) i od r. 1967 znany browar szariski. W miasteczku żył w okresie międzywojennym poeta Jozef Tomášik-Dumín. Zamek jest w ruinach od r. 1687. Jego kapitanem był w XVI w. Juraj Wehrner, autor dzieła O godnych podziwu wodach na Węgrzech. Rzymskokatolicki kościół Św. Jakuba pochodzi z drugiej połowy XIII w. Gotycką kaplicę zbudowano w połowie XIV w. i w kaplicę na cmentarzu pod koniec XVII w. Szariski zamek jest rezerwatem przyrody.

Lipany

Leżą w północno-zachodnim kierunku od Sabinova nad górnym biegiem rzeki Torysy. W najstarszym dokumencie z r. 1312 osada ta nazywa się Siedem lip (Septem Tiliis). Niemieccy osadnicy osiedli tu pod koniec XIII w. Na początku XV w. wspominano ich jako miasteczko poddańcze (oppidum). Z końca XVI w. pochodzą pierwsze wzmianki o szkole i nauczycielu. Z zabytków sakralnych jest najcenniejszy rzymskokatolicki kościół Św. Marcina biskupa. Poprzedni budynek gotycki został w r. 1493 rozbudowany, w XVI w. przebudowany w stylu renesansowym i w połowie XVIII w. w stylu barokowym. Z punktu widzenia artystyczno-historycznego dużą wartość ma wewnętrzne urządzenie kościoła. Dla turystów jest bardzo ciekawa i okolica miasteczka - ruiny zamków średniowiecznych w Kamienicy i Hanigowcach. Dobre tereny narciarskie są w rejonie Dubowicy i Renczyszowa. Znane źródło wody mineralnej Salwator znajduje się w Lipowcu.

Strážske

Miasteczko leży w północnej części Niziny Wschodniosłowackiej. Po raz pierwszy wspomina się w r. 1337 (Ewrmezew - Strażnicze Pole). Osada została założona przez stróży królewskich na przełomie XIV i XV w. XV w. jest własnością kilku rodzin. Była tu stara tradycja młynarstwa i uprawiania winogrona. Piewszy pociąg przyjechał do Strażskiego w r. 1871. Pod koniec XIX w. tu zbudowano małą rafinerię nafty. W roku 1943 ukończono budowę następnej linii kolejowej, połączającej Strażskie z Preszowem. Kilka wybitnych postaci związało swoje życie z miastem (statut miasta otrzymało w r. 1968) - pisarze I. Danilovič, P. Sabolová-Jelinková, artysta E. Bindas, plastyk J. Hák, M. Rogovský i dalszy. Kościół rzymskokatolicki pochodzi z r. 1821, cerkiew greckokatolicka z r. 1794. Strażskie jest punktem wypadowym na zamek Breków i Winne, ale też na Zemplinską Szyrawę.

183. Cenne egzemplarze drzew w parku obok pałaca
184. Z powtórnego odsłonięcia pomnika ofiar pierwszej wojny światowej
185. Budynek urzędu miasta

Giraltovce

Nad dopływem rzeczki Radomki do rzeki Topli leży miasteczko, o którym pierwsza wzmianka piśmienna pochodzi z r. 1416 (Geralth). Aż do r. 1848 było własnością kilku dynastii feudalnych. Katolicki kościół z plebanią istniał prawdopodobnie już pod koniec XIV w. W XVII w. podlegało szlachcie ewangelickiej. W latach 1831-1851 tu działał proboszcz ewangelicki Adam Hlovík, znany zbieracz pieśni ludowych, autor pieśni kościelnych i uczestnik odrodzenia narodowego. W miasteczku tym urodził się Ján Hvezda, poeta piszący w dialekcie szariskim. Od drugiej połowy XIX w. siedziba władz powiatowych i dalszych instytucji. Z budynków sakralnych jest najstarszy kościół ewangelickoausburgski, wzniesiony pod koniec XVIII stulecia w barokowo-klasycystycznym stylu. Kościół rzymskokatolicki św. Cyryla i Metoda pochodzi z r. 1939 i cerkiew greckokatolicka z połowy XX w. W miasteczku tym znajdują się dwa pałace późnorenesansowe ze XVII stulecia.

186. Pomnik ofiar pierwszej wojny światowej i cerkiew greckokatolicka Matki Nieustannyj Pomocy
187. Budynek urzędu miasta
188. Rzeźba Matki z dzieckiem na Rynku
189. Dom towarowy
190. Budynek zakładów pieniężnych
191. Ogólny widok na centrum miasta
192. Kraina w okolicy Giraltowiec

Hanušovce nad Topľou

Założone na początku XIV w., piewszy przekaz źródłowy pochodzi z r. 1332 (Hanusfalva), gdy król Karol Robert udzielił im przywileje miejskie. Rozwijały się jako miasteczko ziemskie, znane przez targi i wyroby rzemieślnicze. W r. 1634 założono miejską ewangelicką szkołę łacińską. Pracował tu Andrej Čorba, autor wierszowanej kroniki o powstaniu chłopskim z r. 1831. W r. 1943 ukończono linię kolejową Preszov-Hanuszovce nad Topľą-Wranów-Strażskie. Najcenniejszym zabytkiem jest wczesnogotycki kościół rzymskokatolicki z początku XIV w. W r. 1783 przez ewangelików został zbudowany kościół w stylu klasycystycznym, w r. 1820 fasadę zmieniono w stylu empirowym. Znajdują się tu dwa pałace: starszy - pierwotnie renesansowy został zbudowany w r. 1564, młodszy - barokowy pochodzi z pierwszej połowy XVIII w. (obecnie mieści się v nim muzeum). W okolicy są pomniki ofiar drugiej wojny światowej (Petrowce, Matiaszka) i czekawe formacje przyrody w Slanskich górach (Údolie obrov, Oblík).

193. Ogólny widok na centrum miasta
194. Panorama Hanuszowiec nad Topłą od wiaduktu
195. Pałac Dežofów, obecnie Muzeum
196. Żółty salon w pałacu
197. Kraina Slanskich wierchów
198. Skałki Hanuszowskie
199. Wiadukt w Hanuszowcach
200. Dzwonnica obok kościoła rzymskokatolickiego

REZÜMÉ

Prešov

Az ősi város Šariš (Sáros) legnagyobb települése; a kassai völgykatlan északi peremén a Torysa (Tarca) partján épült. Bár korábbi írott forrásból is ismert, az 1247-ben kelt okiratot kell alapvetőnek tekintenünk, amelyben „Epuryes"-ként van feltüntetve. III. Endre felruházza királyi kiváltságokkal, ezek a következő évszázadokben újakkal bővíttetnek és erősbíttetnek, miáltal Eperjes Magyarországnak egyik legjelentősebb szabad királyi városává fejlődött. Az evangélikus Kollégium alapítása és működése, illetve jeles tanárai és hajdani diákjai tudományos és közéleti tevékenysége által (J. Bayer, I. Caban, J. Rezík, E. Ladiver, Vandrák András, J. Záborský, M. Hodža, P.O.Hviezdoslav és mások) válik országos hírű iskolavárossá. A történelem a Thököly-felkeléshez való részvételének megtorlását – Caraffa császári generális vértörvényszékét, vérpadját, amelynek huszonnégy városi polgár és nemes esett áldozatul – mint az úgynevezett „eperjesi mészárszéket" tartja számon. A város műemlékekben gazdag. A Szent Miklós–templom méretei és belső térhatása révén a Szlovákia legjelentősebb egyházi építményei közé tartozik. De figyelemre méltó a ferencesek temploma és kolostora, a görög katolikus és a görögkeleti székesegyház, az evangélikus templom, valamint a zsinagóga, továbbá templomával együtt a Kálvária. A környékbeli várromok közül a nagysárosit és Kapivár rom-

jait említhetjük (Šariš, Kapušany); másutt is egyéb történeti nevezetességeket vagy természeti képződményt találhatunk.

1. Neptunus-szökőkút és a Városháza
2. Szökőkút – Námestie legionárov
3. A Béke tér szökőkútjánál – Námestie mieru
4. Szent Miklós római katolikus plébániatemplom
5. Jonáš Záborský Színház
6. Pillantás az eperjesi várostérre
7. Városháza
8. Az ún. Caraffa-börtön
9. Főtéri polgárházak
10. A Szentháromság ferencrendi templom
11. Gótikus táblaképek a Szt. Miklós-templomban
12. Keresztelő Szent János görög katolikus székesegyház homlokzata
13. A Szt. Miklós-templom barokk főoltára
14. Mise a görög katolikus székesegyházban
15. A barokk Kálvária és Szent Kereszt temploma
16. Légi felvétel az óvárosról
17. Flórián utca
18. „Az ember és a tűz" – kiállítás a Honismereti Múzeumban
19. Az egykori Rákóczi-ház
20. Az új és a régi Eperjes
21. A volt Megyeháza
22. Virágba borultan – Ulica 17. novembra
23. Šariš Szálló
24. Flórián kapu, külső oldal
25. Solivar (Sóvár), a Lipót-aknában
26. Főkötő, a sárosi népviselet jellemző eleme
27. A „sóvári csipke"
28. Sárosi népviselet – Kojatice (Kajáta)
29. Kilátás a Bachurňa-hegység csúcsáról (Bahurnia)
30. Sigord-víztároló
31. Síközpont – Búče körzete a Bachureň-hegységben
32. „Mózes oszlopa" sziklaalakzat a Szinyelipóci-völgyben, illetve a Lačnov-kanyonban

Humenné

Homonna a Laborec (Laborc) s a belé torkolló Cirocha (Ciróka) középső folyásánál fekszik. Neve (Humenna) írott forrásban először az 1332–1337 közötti pápai tizedjegyzékben szerepel. A hűbéri korszakban a Drugeth–család földesúri városaként nagy kiterjedésű uradalmuknak a központja volt. Iparosai a 15. század már öt céhben szerveződének. Birtoklásában e század végétől fogva több nemesi család váltja egymást, közülük az Andrássyak a legjelentősebbek. A ferencesek a 15. században, a jezsuiták, akik kollégiumot alapítanak, a 17. században telepednek be. 1871-től vasút köti össze a szomszéd és a távolabbi helységekkel (Michaľany–Strážske–Humenné). A legrégibb s egyben a legértékesebb műemléke a 14. században épített, majd a ferencesek kolostorával egybekapcsolt római katolikus plébániatemplom. Az eredetileg gótikus kastélyt a 17. század elején alakították át reprezentatív kiállítású építménnyé, amely ma múzeum. A város zsinagógája 1795-ből való. A közelben találjuk Brekov (Barkó) és Jasenov (Jeszenő) váranak romjait s a környező községek rendkívüli becsű fatemplomait (Topoľa, Kalná Roztoka, Ruský Potok és másutt). A hagyományos építkezést a városban létesített „skansenben" szemlélhetjük meg.

33. A kastély oromzata
34. Homonna látképe nyugat felől
35. A város új arculata
36. A Művelődési Központ előtt
37. A városi hivatal épülete
38. A III-as számú lakótelep látképe
39. Áruház – Námestie slobody
40. A város felszabadítóinak emlékműve
41. Mindenszentek római katolikus plébániatemplom
42. A római katolikus templom gótikus belseje
43. A kastély múzeumkiállítása
44. Virágágyak a kastély előtt
45. Vívóbemutató a kastélyudvaron
46. Népi együttes fellépése a skansenben
47. Nová Sedlica fölötti völgy
48. Skansen a kastélyparkban
49. Jarabá skala a Bukovské vrchy gerincén
50. Őserdő a Bukovské vrchy gerincén
51. Fatemplom – Hrabova Roztoka (Hrabovaroztoka, Kisgerebélyes)
52. Ikonosztázrészlet Nová Sedlica (Novoszedlica, Újszék) fatemplomából a skansenben.

Bardejov

Bártfa a múltban és ma is Šariš (Sáros) északi részének gazdasági–társadalmi központja. Az ipatijevi évkönyvben 1241-

ben említett vásártartó településből (Bardouev) a 14. század végére (1376) szabad királyi várossá fejlődött. A kultúra és a műveltség aranykorát a reneszánsznak és a gyorsan terjedő reformáció humanizmusának köszönhette. Iskolája a reformáció képviselőjeként és pedagógiai elvei révén ismert Leonárd Stöckel vezetése alatt országos hírűvé vált. A városhoz kötődik Z. Zarevucius orgonistának, a barokk zene művelőjének, B. Kéler zeneszerzőnek, a nemzetébresztő J. Andraščíknak és másoknak is a tevékenysége. A város 1952 óta műemlék–rezervátum, becses építményeinek megóvásáért 1986-ban az UNESCO aranyérmével tüntették ki. A római katolikus Szt. Egyed temploma a kora reneszánsz barokk zene művelőjének is múemlék. A várostól nem messze fekszik Bártfafürdő, a zborói várrom és környékén hét úgyszintén országos jellegű műemléknek nyilvánított fatemplom. Megemlítendő továbbá a közeli Cigelka ásványvízforrás és több természetvédelmi terület.

53. A főtér és a városháza
54. Karácsonyi hangulat a Városháza téren
55. Polgárház oromzatfestménye
56. A római katolikus Szent Egyed-templom belső tere
57. A Szt. Egyed-templom Jézus Születése szárnyasoltárának részlete
58. A régi Bártfa látképe
59. Késő gótikus városháza, 16. század eleje
60. A középkori városfal négyszög alakú bástyája
61. Bártfafürdő látképe
62. Fürdőcsarnok
63. Ózon-fürdőépület
64. Astória-fürdőépület
65. Ivókúra a csarnokban
66. Falusi ház belseje a bártfafürdői skansenben
67. A „Čerhovčan" együttes táncospárja
68. Bártfa környéki táj
69. Fatemplom Krivé községben
70. Ikon a trocsányi fatemplomban – Tročany
71. Fatemplom, Hervartov (Hervartó)

Stará Ľubovňa

Ólubló a közelmúltban alapított és a legkisebb járás székhelye, a lengyel határ közelében a Poprád völgyében épült fel. Írott formában mint Libenowot 1292-ben jegyzik. További 12 szepességi várossal együtt 1412-ben a város fölötti várban történt meg elzálogosítása Lengyelországnak, a zálog 1772-ig, azaz 360 évig tartott. A középkori város főtere képviseli. Az ólublói várat, amelynek épen maradt része múzeummal van berendezve, gyakran keresik fel a látogatók; a történelemben jelentős szerepet játszott. A vár alján a népi építészetet bemutató skansen áll. Ruzsbahfürdő a felújított Lublófürdő (Vyšné Ružbachy, Ľubovnianske kúpele) gyógyhely és üdülőközpont. Ólubló kiindulópont a Szepesség további nevezetességeinek – Podolínec, Haligovce, Červený Kláštor (Podolin, Haligovce, Vöröskolostor) s mások – meglátogatására.

72. Lublói-vár, délnyugati védőmű és a vártorony
73. Ólubló látképe a vár felől
74. A város északi része és a vásárcsarnok
75. Verchovina Szálló
76. A Szt. Miklós-templom és a főtér
77. A Szüntelen Segedelem Szűzanyának szentelt új görög katolikus templom
78. Városközpont a városi hivatal előtt
79. Főtéri ház
80. Pieninek, a Dunajec áttörése Lesnica mellett
81. Palocsai várrom – Plaveč
82. Vyšné Ružbachy – strandfürdő
83. Pillantás a Lublói várra
84. Vár alatti skansen
85. Ľubovnianske kúpele – Lublófürdő

Svidník

Az Alascony–Beszkidek északi szögletében elterülő várost gyakran idézik a második világháború hadicselekményeivel kapcsolatosan. 1334-ből szól róla az első feljegyzés (Sudnici), testvértelepülése 1414-ben jön létre (Zuydnegh), s 1943-ig mint Vyšný és Nižný Svidník (Felső- és Alsószvidník) léteznek, amikor a kettő egyesül. Az első világháború 1914–1915 téli hónapjaiban itt zajlanak a az orosz és az osztrák–magyar hadak közti leghevesebb harcok. Mérhetetlenül több kárt okoz és áldozatot követel azonban a második világháború. A közeli Dukiánál is a városban is szovjet, német katonák, valamint a csehszlovák hadseregcsoport katonáinak ezreit temették el. Több emlékmű őrzi kegyeletüket. A város Kelet–Szlovákia ruszin és ukrán lakosságának központja. Nemzetiségi létük igényeit szolgálják az évente megrendezett fesztiválok s a városban levő múzeum. Itt kapott helyet egy hadtörténeti múzeum is. A görög katolikus templom a 18. század végén, a pravoszláv a 20. század alsó felében emeltetett. A Szirmay–kastélyban van a D. Milly Képtár. Sajátos értéket képviselnek, és igen látogatottak a környékbeli községek – Bodružaľ, Miroľa stb. – fatemplomai.

86. A város látképe az emlékpark felől
87. Az államigazgatás épülete
88. Fő téri szökőkút
89. Modern kórházépület
90. Pénzintézetek épületei
91. Ruszin-ukrán folklórfesztivál
92. A Hadtörténeti Múzeum körlete
93. Hagyományos faház Vagrinec községben
94. A szovjet katonák emlékművének légi felvétele
95. „Halálvölgy" Kružlova mellett
96. Népi együttes fellépése az emlékparkban
97. Fatemplom, Hajdani Komárnik
98. Fára festett ikon a 16. századból – D. Milly Képtár
99. Az Utolsó vacsora – ikonábrázolás a miroli fatemplomban
100. Szent Paraszkeva görög katolikus templomának belseje
101. A csehszlovák hadsereg katonatemetője és emlékműve – Dukla

Vranov nad Topľou

Az ősi zempléni város – Varannó – a kelet–szlovákiai síkság északnyugati nyúlványában, a Topľa (Tapoly) bal partján áll. Elsőként az 1332–1337 közti pápai tizedjegyzékben említik, mégpedig papjának a nevében is (Stephanus de Warano). A múltban a csicsavai várbirtok része; földesurai a Rozgonyiak és a Báthoriak. A hírhedt, vérszomjas Báthori Erzsébet itt tartotta esküvőjét. A 16–19. században három céh működik benne. Az 1831-es parasztlázadás a városra is kiterjedt. A Trebišov (Tőketerebes) – Vranov (Varannó) vasúti szakasz 1903-ra készült el, s 1943-ban a Prešov – Vranov – Strážske- (Eperjes – Varannó – Őrmező-) beli. A természetjárók leginkább Čičva (Csicsava) várát keresik fel, amely az 1711. év óta romokban hever. Értékes gótikus templomokat találunk a környékbeli falvakban (Soľ, Kučín, Nižný Hrušov és másutt). A Sóvári–hegység (Slanské vrchy) erre eső részében a több természetvédelmi terület van; a Domaša víztározó partjain üdülőközpontok létesültek.

102. Varannó – városközpont
103. A református templom napórája
104. Zemplín Termelőszövetkezet épülete
105. Varannó látképe, háttérben a Sóvári hegyekkel (Slanské vrchy)
106. Művelődési Központ
107. A római katolikus templom barokk belső része
108. Szűz Mária római katolikus temploma
109. A Legszentebb Eucharisztia görög katolikus temploma
110. A csemernyei görög katolikus templom belseje – Čemerné
111. Domasai alkony
112. Hajóval a Domaša-víztártolón
113. Čičva (Csicsva) várának romjai
114. Ránki sziklák a Sóvári-hegységben – Rankovské skaly
115. Az Óriások völgyében
116. Holčíkovce-központ, Domaša
117. Kemping, Kelča
118. Tavasz a Sóvári-hegység alján – Slanské vrchy

Snina

A Pčolinka és a Cirocha egybefolyásánál Zemplén legkeletebbre fekvő városa, az Alacsony–Beszkidek és a Vihorlát erdőségeivel övezett; írott formában mint Zynna (Szinna) 1343-ból adatolt. Urai a homonnai Drugethek; 1799-ben a Vandernát-családtól a települést Rholl József vasgyáros veszi meg, aki 1815-ben itt vasöntő és -hámort létesít, amelyekben mezőgazdasági eszközöket, öntvényeket, edényfélét és hasonló termékeket állítanak elő. A Humenné–Snina–Stakčín (Homonna–Szinna–Sztakcsin) vasútvonal 1909-1912 közt épül. A Szent Kereszt Megelelésének római katolikus templomát 1847-ben szentelik fel, a Hámorban Szűz Mária tiszteletére 1887-ben kápolnát emeltek. Ezenkívül a 18. századi kastély és udvarán Herkules-szoborral díszített kútja (1841) érdemel említtést. A természeti szépségekben bővelkedő táj, a községek fatemplomai (Hrabová Roztoka, Ruský Potok és másutt), valamint a Vihorlát erdejébe ágyazott Morské oko (Tengerszem) a hazai és a külföldi turistáknak gyakori célja.

119. Havas Szűz Mária római katolikus temploma
120. Pillantás az új Sninára (Szinnára)
121. Herkules-szobor a kastélyban
122. Herkules Áruház
123. Az új görög katolikus templom
124. Szobormű a várostéren

125. Szinna látképe nyugat felől
126. Rybníky pri Snine (Szinnai halastó) strandfürdő
127. A Morské oko (Tengerszem) víztükre
128. Új esztendőt kívánás Ulič községben
129. Pillantás a Szinnai-kőről – Sninský kameň

Stropkov

Az Ondava bal partján az Ondavská vrchovina (Ondavai-hegység) karéjával körülvett kies fekvésű Sztropkó, bár a község már a 13. század előtti időkben is létezett, okiratból csak 1404-ből ismert (Stropko). Ekkor már mezőváros (oppidum); iparművészet 1757-ben a céhek történetében nálunk egyedülálló, úgynevezett „nagycéhben" szerveződnek. Iskolájának 1515-ből származó adatolásai vannak. A 17. században minorita-ferencesek települnek be, s 1921-ben a redemptoristák is megjelennek. Hajdani várának maradványait az emeletes kastély őrzi. Krisztus Urunk Legszentebb Testének plébániatemploma a 14. századból való. A görög katolikus templomot 1947-ben építették. A barokk ferences templom és kolostor 1673-as keletkezésű. A zsinagógák nem maradtak fenn. A várostól déli irányban eljuthatunk a kedvelt a vízi sportok űzését is biztosító Domaša víztározó üdülőkörzeteibe.

130. A város történelmi körzete
131. A Pethő-család címere a római katolikus templom belsejében
132. Stropkov (Sztropkó) látképe kelet felől
133. Jézus Krisztus Legszentebb Testének római katolikus plébániatemploma
134. Szent Cirillnek és Metódnak szentelt görög katolikus templom
135. Domaša-víztároló, Tíšava Kemping a valkói központban (Valkov)
136. Évente rendezett lóverseny az Arany patkóért
137. A „Stropkovčan" népi együttes táncospárja
138. Domaša-víztároló, északi rész

Sabinov

Eperjesről északnyugati irányba haladva jutunk el az egykor szabad királyi városba, Kisszebenbe; írott formában először 1248-ban adatolt mint Sceben. A községnek III. Endre 1299-ben városi kiváltságokat adományoz. A kultúrtörténetileg jelentős városnak a 15. század elején van iskolája, ez főképpen a reformáció századában tűnik ki tanári érdeméről. Szeben a természettudós Georg Buchholtz, továbbá Csontváry-Kosztka Tivadar szülőhelye. Egy ideig itt tevékenykedett J. Borodáč színművész, s a városhoz kötődik J. Cirbusová írónő és a Štúr-nemzedékhez tartozó B. Nosák-Nezabudov költő alkotó tevékenysége. A városfal egyes részei az bástyái mindmáig fennmaradtak. A katolikus plébániatemplom a 14. század elején, a két evangélius egyház közül az egyik a 18. század végén, a másik a 19. század elején épült fel. A hajdani evangélikus líceumban 1740-től piarista gimnázium működött; az épület napjainkban városi múzeum. A közel eső Drienica falu határában sí- és üdülőközpont létesült.

139. A város történelmi körzete
140. A középkori városfal bástyája
141. Keresztelő Szent János római katolikus templom belseje
142. Városháza
143. Kisszeben látképe észak felől
144. Női énekkar, Šarišské Michaľany (Szentmihály)
145. Hőnig várának romjai (Hanigovce)
146. Drienica – Lysá síközpont

Medzilaborce

Az Alacsony–Beszkidek északi vonulatában, néhány mérföldnyire a lengyel határtól a 15. század második felében keletkezett település (Mezőlaborc) 1543-ben még Kis-Laborczként jelölik. Anélkül, hogy városjogi kiváltságokat nyert volna, az idők folyamán városjellegűvé vált, s ma az ukránok és a ruszinok jelentős központja. Az első és a második világháború hadicselekményei következtében egyaránt súlyos károkat szenvedett. A ruszin és az ukrán kultúrát szolgáló és kibontakoztató országos rendezvények, színpadi bemutatók, szavalóversenyek és sporttalálkozók színhelye. A Warhol-család Modern művészeti múzeumát 1991-ben nyitották meg. A város legrégibb szakrális műemléke a 18. században épített és Nagy Szent Baziliusz tiszteletére szentelt görög katolikus templom. A római katolikus Szűz Mária-templom 1903-ból való. S meghatározóan alakítja a városképet az orosz stílusban 1949-ben megépült pravoszláv templom. A környék mind nyáron, mind télen kedvező feltételeket nyújt a természetjáróknak.

147. Városközpont
148. Pravoszláv (görögkeleti) templom
149. Ikonosztáz-részlet a görög katolikus templomban
150. A Warhol-család Modern Művészeti Múzeuma

151. A pravoszláv templom belső tere
152. A Modern Művészet Múzeumának kiállítástere
153. Erdőség a Kárpátok gerincén
154. Mezőlaborc látképe
155. Felszabadítás-emlékmű, Kalinov
156. Női énekkar, Čertižné
157. Kalinovi táj

Veľký Šariš

Nagysáros hajdani megyeszékhely, amely egykor szabad királyi város is volt. A fölötte magasló hegyen épült várával azonnevű község (s megye) az okiratokban 1217-től mint (Saris) Sarus szerepel. A vár meglétét 13. századbeli írott források igazolják, de már az előző században fennállt. 1856-tól modern műmalma van, s a mezőváros, illetve ma újból városjogú helység az 1967-ben megépült sörgyára révén is közismert. A két világháború között itt élt Jozef Tomášik–Dumín költő. A vár 1687 óta romos; a 16. században a humanista Werhner György, egyebek közt a „Magyarország csodálatos vizeiről" (De admirandis Hungariae aquis...) mű szerzője, volt a kapitánya. A római katolikus Szent Jakab-templom a 13. század második, a szép kiállítású gótikus kápolna a 14. század első feléből való. A temetőkápolna 17. század végi. A vár körzete természetvédelmi terület.

158. A Sárosi vár romjai, kapuzati rész
159. A városi hivatal épülete
160–161. A város alapításának 775. évfordulóján
162. Szent Jakab római katolikus templom
163. A sárosi völgykatlan a várhegyről
164. Védett erdő a várhegyen
165. Tájék a vár alatt

Lipany

A Kisszebentől északnyugati irányban, a Torysa (Tarca) felső folyásánál fekvő Héthárs községet (később mezőváros) egy 1312-ből származó okirat nevezi ekképpen (... Septem Tiliis). A 13. század vége felé telepszenek le itt a német vendégek. A helységet a 15. század elején mint jobbágyvárost említik; a 16. század végi iskolája is rektora van. A Szent Márton püspök nevét viselő, eredetileg gótikus római katolikus templom ékes műemlék. Bővítése 1493-ban történt, majd a 16. században renszánsz stílusban és a 18. században a barokknak megfelelően alakították át. Műtörténetileg nagyszerű oltára, belső kiképzése és berendezése is egyaránt nagy értékű. A környék két falva (Kamenica, Hanigovce; Tarkó, Hőnig) fölött középkori várromok merednek. A Dubovicán (Dobón) és Renčišovon (Rencsisson) túli lejtők kiváló síterepek; a hegygerinccel elválasztott Lipovce (Szinyelipóc) Salvator ásványvízforrása révén ismert.

166. Szent Márton püspöknek szentelt római katolikus plébániatemplom
167. A római katolikus templom főoltára
168. A városi hivatal a főtéren
169. Lipany (Héthárs) látképe
170. Áruház és a Lipa Szálló
171. Pusté pole (Pusztamező) sziklaképződményei
172. Kastély, Krivany
173. A Bachureň-hegylánc erdősége
174. Sajátos népi dudatípuson játszó zenész
175. Dubovické žliabky – síközpont

Strážske

A város a kelet–szlovák alföld – Východoslovenská nížina – északi peremén épült; eredetileg mint a gyepűvédők települése a 12. század elején, amint arra az 1337-ből írott alakban ránk maradt megnevezése is utal (Ewrmezew = Őrmező). A 15. században több földesura van; régi hagyomány benne a gabonaőrlés és a szőlőművelés. Az első vonat 1871-ben éri el, míg 1943-ban a vasúti hálózat már Eperjesig biztosítja az összeköttetést. A 19. századig csupán szerény olajfinomítóval rendelkezik, s csak 1968-ban nyer városi státust. I. Danilovič, P. Sabolová – Jelinková írók, E. Bindas színművész, J. Hák, M. Rogovský képzőművészek és mások alkotó tevékenysége a városhoz kötődik. A római katolikus templom 1821-ben, a görök katolikus 1794-ben épült. A városból elindulva felkereshetjük Brekov és Vinné (Barkó, Vinna) várromot, s nincs messze a zempléni víztározó – Zemplínska Šírava – sem.

176. Az Úr Mennybemenetele római katolikus plébániatemplom
177. „Láperdő", természetvédelmi terület a Laborec (Laborc) partjainál
178. Hagyományos falusi ház – Krivošťany
179. Brekov (Barkó) vára
180. „Strážske" népi együttes – táncospár
181. Fő tér, a háttérben a Krivoštianka-hegy

Giraltovce

A Topľa (Tapoly) és mellékága – Radomka – egyesülésénél épült Giráltról (Geralth) egy 1416-ból származó feljegyzés szól. Földesurai 1848-ig gyakran cserélődnek. Úgy tűnik, hogy már a 14. század végén katolikus temploma és parókiája volt; ezeket a 17. században evangélikus földesurak uralják. Adam Hlovík, aki 1831-től 1851-ig városka evangélikus lelkésze, mint egyházi énekek szerzője és népdalgyűjtő, valamint a nemzeti újjáébredés mozgalmának híveként tűnt ki. A város szülötte, Ján Hvezda költő sárosi nyelvjárásban alkotott. Girált a 19. század második felétől azonnevű járás és további intézmények székhelye. Templomai közül az ágostai hitvallású evangélikusok barokk-klasszicista egyházát a 18. század végén emelték; a Szt. Cirill és Metód római katolikus templom 1939-ben, a görög katolikus földesurak a 20. század első felében épült meg. A mezőváros két késő reneszánsz kastélya a 17. század építménye.

Hanušovce nad Topľou

A 14. század elején alapított Tapolyhanusfalvát egy 1322-ből származó okirat említi először Hanusfalva (Hanuška), amikor is Róbert Károly a községet az Eperjeséihez hasonló városjogi kiváltságokkal ruházta fel. A továbbiak során jelentős kézműipara révén és mint országos vásárjoggal is rendelkező mezőváros fejlődött. 1634-ben evangélikus latin városi iskolája van. Irodalmi hagyományáit tekintve Andrej Čorbát, az 1831-es parasztlázadást leíró verses krónika szerzőjét idézhetjük. Fejlődésére nézve előnyös volt bekapcsolása a vasúti hálózatba a 1943-ban megépült Prešov–Hanušovce–Vranov–Strážske (Eperjes–Hanusfalva–Varannó–Őrmező) vasútvonal által. Legértékesebb műemlékeinek egyike a 14. század elején kora gót stílusban épült római katolikus templom. A klasszicista stílusú evangélikus templom 1783-ból származik, 1820-ban empir stílusban alakították át. A városnak két kastélya van, a régebbi, eredetileg renszánsz kastély 1564-ből maradt ránk. A 18. század első felében keletkezett barokk kastély ma múzeum. A közelében meglátogathatjuk a második világháború emlékhelyeit (Petrovce, Matiaška) a gyönyörűséges a Slanské vrchy (Sóvári-hegység) sajátos természeti képződményeiben (Údolie obrov /Óriások völgye/, Oblík).

РЕЗЮМЕ

Прешов

Древний Прешов, центр области Шариш, расположен на северной окраине Кошицкого бассейна. Раскинулся он на обоих берегам реки Торыса. Первые упоминания о нём относятся к 1247 году (Epuryes). В 1299 году венгерский король Андрей III предоставил селению Прешов городские привилегии. В последующие века город получил новые льготы, благодаря которым он стал одним из значительных городов Венгрии. Прешов стал знаменитым евангелической коллегией, в которой учились и работали десятки выдающихся личностей (Я. Байер, И. Цабан, Э. Резик, Э. Ладивер младший, М. Годжа, Й. Заборски, П. О. Гвездослав и др.). В 1687 году совершилась т. н. прешовская бойня, когда с согласия генерала Цараффа 24 выдающихся мещанина и дворянина были подвергнуты смертной казни. Город - это сокровищница художественно-исторических памятников. Костёл св. Микулаша был объявлен национальным культурным памятником. Ценными считаются также францисканский костёл, евангелическая церковь, евангелический костёл и синагога. В окрестностях города находятся развалины многих замков (Шариш, Капушаны), исторические и природные примечательности.

Гуменне

Город Гуменне расположен на среднем течении реки Лаборец и её притока Цироха. Первые письменные упоминания о городе, содержащиеся в папском реестре, относятся к 1332 - 1337 годам (Humenna). Гуменне был феодальным городком семьи Другетов был одновременно и центром их имения. С конца XVII века город был имуществом многих феодальных семей, но значительнее всех была семья Андраши. В XVII веке в городе основалось пять цеховых организаций. В XV веке осели здесь францисканцы, а в XVII веке иезуиты. К этому времени относится основание иезуитской коллегии. В 1871 году была открыта железнодорожная линия Михаляны - Стражске - Гуменне. Старшим и ценнейшим церковным памятником является римско-католический приходский костёл XIV века с прилегающим к нему францисканским монастырём. Готическая усадьба была в начале XVII века перестроена в монументальную ренессансную усадьбу (ныне музей). Синагога была сооружена в 1795 году. Недалеко от города находятся развалины замков Бреков и Ясенов, ценные деревянные костёлы (Тополя, Кална Розтока, Руски Поток и др.). В городе имеется музей под открытым небом.

Бардейов

В прошлом и в настоящее время это общественно-экономический и культурный центр верхнего Шариша. Первые письменные упоминания о селении Бардейов, содержащиеся в рассказе ипатиевской летописи (Bardouev), относятся к 1241 году. Из небольшого торгового селения вырос к концу XIV века вольный королевский город (1376 г.). XVI век представлял "золотой век" в развитии культуры и образования, поскольку и здесь внедрились мысли реформационного гуманизма и гуманизма эпохи Ренессанса. С городом Бардейов связаны судьбы таких деятелей, какими были Стёкел (Stöckel) - педагог и церковный реформатор, З. Заревциус - барочный музыкант и органист, Б. Келер - композитор, Й. Андраши - народный просветитель и другие. В 1952 году Бардейов был объявлен городом-заповедником. За сохранение ценных памятников архитектуры в 1986 году городу Бардейов присуждена премия - Золотая медаль UNESCO. Римско-католический готический костёл и раннеренессансная ратуша были объявлены национальными памятниками культуры. В окрестностях города находятся курорт Бардейовске Купеле, развалины замка Зборов, семь деревянных церковушек (национальные памятники культуры), минеральный источник Цигелька и заповедники.

Стара Любовня

Город Стара Любовня, центр наименьшего и самого молодого района Словакии, лежит в долине реки Попрад, недалеко от границы с Польской Республикой. Первое письменное упоминание о городе относится к 1292 году (Libenow). Памятным для города является 1412 год, когда на здешнем замке произошло роковое событие - отдача 13 спишских городов в залог Польше. Залог длился 360 лет. Возвращение осуществилось только в 1772 году. Средневековое ядро города сохранило свой облик до наших дней. Раннеготический римско-католический приходский костёл св. Микулаша был сооружён в начале XIV века. К числу светских памятников относится замок Стара Любовня, пользующийся наибольшей посещаемостью. Ныне - это музей. В окрестностях замка расположен скансен народной архитектуры. Больше всего туристов привлекают курорты Любовнианске Купеле и Вышне Ружбахи. Город является исходным пунктом во многие территории области Спиш - в город Подолинец, в селения Ганиговце, Червены Клаштор и их окрестности и др..

Свидник

Город Свидник, связанный с событиями второй мировой войны, расположен в северной части горного массива Низке Бескиды. Первое упоминание о Свиднике относится к 1414 году. В 1414 году был основан второй Свидник (Zuydnegh). До 1943 года существовали рядом Вышны Свидник и Нижны Свидник. Позднее они объединились. Новым селение стало название Свидник. Сражения русских и австро-венгерских войск зимой 1914 - 1915 гг. нанесли обоим селениям большой ущерб. Однако наиболее жертв понесла вторая мировая война. В Свиднике и на Дукле похоронены тысячи советских, немецких и наших воинов. Здесь сосредоточено несколько памятников второй мировой войны. Свидник - это центр русинов и украинцев восточной Словакии. В городе имеется музей с коллекциями их культуры, ежегодно здесь проводятся фестивали. В Свиднике находится и Военный исторический музей. Униатский костёл был сооружён в конце XVIII века, православный в первой половине XX века. В усадьбе семьи Сирмаи находится Галерея им. Д. Миллы. Ценные деревянные церковушки в посёлках Бодружаль, Миролья и др. являются наиболее привлекательными достопримечательностями.

Вранов-на-Топле

Древний город Вранов-на-Топле, город области Земплин, расположен в северо-западной части Восточнословацкой низменности, на левом берегу реки Топля. Первые письменные упоминания о Вранове, содержащиеся в папском реестре, относятся к 1333-1337 годам. В реестре упоминается священник Штефан из Вранова (Stephanus de Warano). Вранов был составной частью имения замка Чичва. Был имуществом феодалов селения Розгановце, а также семьи Баторы. В городке произошло венчание известной кровожадной Алжбеты Баторы (1575 г.). В XVI - XIX веках здесь были три цеховые организации. Крестьянское восстание 1831 года сказалось на жизни города и его жителей. В 1903 году была открыта железнодорожная линия Требишов - Вранов, в 1943 году железнодорожная линия Прешов - Вранов - Стражске. Светские памятники не сохранились. Ценность представляет римско-католический приходский костёл девы Марии, возведённый в 1580 году. В окрестностях Вранова наиболее привлекательным для туристов является замок Чичва, с 1711 года находящийся в виде руин. Несколько готических костёлов находится в окрестностях города, в посёлках Соль, Кучин, Нижны Грушов и др.. Заповедники Сланских гор и водохранилище Домаша являются местами отдыха и туризма.

102. Центр города Вранов-на-Топле
103. Костёл евангелической реформатской церкви. Солнечные часы
104. Здание промкооперации Земплин
105. Общий вид на город Вранов-на-Топле. На заднем плане горный массив Сланске врхи
106. Городской центр культуры
107. Барочный интерьер римско-католического костёла
108. Римско-католический костёл девы Марии
109. Униатский костёл наисвятейшей Эвхаристии
110. Чемерне. Интерьер униатского костёла
111. Домаша. Вечерние сумерки
112. На водохранилище Домаша
113. Развалины замка Чичва
114. Горный массив Сланске врхи. Ранковске скалы
115. В долине обров
116. Домаша. Центр Голчиковце
117. Центр Келча. Кемпинг
118. Весна под горами Сланске врхи

Снина

Крайневосточный город области Земплин Снина расположен на слиянии рек Пчолинка и Цироха. Окаймлен он лесами горных массивов Низке Бескиды и Вигорлат. Письменные упоминания о Снине относятся к 1343 году (Zynna). Снина была имуществом семьи Другетов из города Гуменне. В 1799 году город у семьи Вандернатов купил магнат Рголл, который здесь в 1815 году основал металлургический завод и железообрабатывающий металлургический цех. Завод выпускал сельскохозяйственные инструменты, чугунные изделия, посуду и др.. В 1909 - 1912 годах была построена железная дорога Гуменне - Снина - Стакчин. Римско-католический костёл нахождения св. Креста был возведён в 1847 году, часовня девы Марии в 1887 году. Здание усадьбы было сооружено в конце XVIII века, колодец с скульптурой Геракла во дворе усадьбы в 1841 году. Прекрасные окрестности города, ценные деревянные церквушки (в селениях Грабова Розтока, Руски Поток и др.), сокровище природы горное озеро Морске око предоставляют большие возможности для туризма и отдыха.

119. Римско-католический костёл девы Марии снежной
120. Вид на новую Снину
121. Скульптура Геракла у усадьбы
122. Универмаг Геркулес
123. Новый униатский костёл
124. Пластика на снинской площади
125. Панорама Снины с западной стороны
126. Плавательный бассейн Рыбники под Сниной
127. Горное озеро Морске око. Затишье
128. Новогодние колядники из села Улич
129. Вид с Снинского каменя

Стропков

Городок Стропков расположен на левом берегу реки Ондава. Первые письменные упоминания о Стропкове относятся к 1404 году, хотя существовал он еще до XIII века. В 1404 году посёлок Стропков (Stropko) стал городком - oppidum. В 1757 году в городке был создан т. н. большой цех, исключительный случай в истории Словакии. Упоминания о школе относятся к началу XVI века (1515 г.). Францисканцы-минориты осели здесь в XVII веке, а редемпториты в 1921 году. Остатки бывшего замка хранятся в двухэтажном корпусе усадьбы. Римско-католический приходский костёл наисвятейшего тела Христова был возведён в XIV веке, францисканский костёл в 1947 году. Еврейские синагоги не сохранились. Недалеко от городка, на юг от него, находится водохранилище Домаша - привлекательная область для туристов. Токайик известен трагедией ноября 1944 года.

130. Историческое ядро города
131. Интерьер римско-католического костёла. Герб династии Петеовых
132. Панорама Стропкова с восточной стороны
133. Римско-католический костёл наисвятейшего тела Христова
134. Униатский храм св. Цирила и Метода
135. Водохранилище Домаша. Центр Валков. Кемпинг Тишава
136. Традиционные конноспортивные состязания на приз Золотая подкова
137. Участники фольклорного ансамбля Стропковчан
138. Северная часть водохранилища Домаша

Сабинов

На северо-запад от города Прешов расположен бывший вольный город Сабинов. Первое письменное упоминание о Сабинове относится к 1248 году (Sceben). В 1299 году Андрей III предоставил средневековому селению Сабинов городские привилегии. Сабинов - это город с богатым культурным прошлым. В начале XV века была основана школа. Славу она приобрела в годы реформации благодаря деятельности в ней многих личностей. В Сабинове родились естествоиспытатель Й. Бухголц (Buchholtz), художник М. Т. Костка-Чонтвары (Kosztka-Csontváry). Работали здесь Я. Цирбусова, поэт-Штуровец Б. Носак-Незабудов. До сегодняшнего дня сохранилась часть городского укрепления. Католический приходский костёл был сооружён в начале XIV века. В городе два евангелических костёла. Первый был построен в конце XVIII, а второй в начале XIX века. В бывшем евангелическом лицее была с 1740 года гимназия пиаристов. Ныне здесь музей. Зоной отдыха большого значения считается Дриеница.

139. Историческое ядро города
140. Один из бастионов средневекового укрепления
141. Интерьер римско-католического костёла св. Иоанна Крестителя
142. Городская ратуша
143. Панорама Сабинова с северной стороны
144. Женский ансамбль песни из селения Шаришске Михаляны
145. Комплекс сооружений для лыжного спорта Лыса

Медзилаборце

В северной части горного массива Низке Бескиды, несколько километров от границы с Польшей, расположен городок Медзилаборце, значительный центр русинов и украинцев. Медзилаборце были основаны во второй половине XV века, но первые упоминания о них относятся к 1543 году (Kis Laborcz). Постепенно развиваясь, селение (без предоставления ему льгот) превратилось в городок, который в годы обеих мировых войн очень пострадал. Ежегодно здесь проводятся культурные, спортивные, драматические фестивали и фестивали художественного слова для русинов и украинцев. В 1991 году в городке был открыт Музей современного искусства семьи Варгол. Старшим церковным памятником городка является униатский костёл св. Базилия Великого, построенный в конце XVIII века. Римско-католический костёл девы Марии был возведён в 1903 году. Доминантой городка считается православная церковь, сооружённая в 1949 году в древнерусском стиле. В городке и окрестностях его хорошие условия для летнего и зимнего туризма.

147. Центр города
148. Православная церковь
149. Униатский собор. Часть иконостаса
150. Музей современного искусства семьи Варгол
151. Из интерьера православной церкви
152. Выставочные залы Музея современного искусства
153. Карпатские леса
154. Общий вид на город Медзилаборце
155. Калинов. Памятник освободителям
156. Женский ансамбль песни из села Чертижне
157. Честность в окрестностях Калинова

Вельки Шариш

Городок Вельки Шариш, бывший административный центр Шаришского комитата, расположен на север от города Прешов, в окрестностях замка Шариш. Первые письменные упоминания о селении Вельки Шариш относятся к 1217 году (Sarus). История селения тесно связана с историей замка Шариш, упоминания о котором относятся к XIII веку, но сооружён он был уже в веке предыдущем. С XIX века в городке находится паровая мельница (1856 г.), с 1967 года известный пивоваренный завод. В период между двумя войнами в городке жил поэт Йозеф Томашик-Думин. В виде развалин замок находится с 1687 года. В XVI веке комендантом замка был Юрай Вернгер, автор сочинения О удивительных водах Венгрии. Римско-католический костёл св. Якуба был построен во второй половине XIII века, готическая часовня в половине XIV века, часовня на кладбище в конце XVII века. Замок Шариш объявлен заповедником.

158. Развалины замка Шариш. Входная часть
159. Здание городского управления
160.-161. Из торжеств 775-ой годовщины основания города
162. Римско-католический костёл св. Якуба
163. Шаришская котловина со стороны склона замковой горы
164. Охраняемые лесонасаждения замковой горы
165. Местность в окрестностях замка Шариш

Липаны

Городок Липаны расположен на северо-запад от города Сабинов на верхнем течении реки Торыса. По старшей грамоте 1312 года селение называлось Семь лип (Septem Tiliis). Немецкие гости осели здесь в конце XIII века. В начале XV века Липаны упоминаются в качестве крепостного городка (oppidum). Первые упоминания о школе и учителе относятся к концу XVI века. Ценнейшей достопримечательностью городка является римско-католический костёл св. Мартина епископа. Первоначально готическое сооружение было в 1493 году расширено и перестроено в XVI веке в стиле Ренессанса, а в половине XVIII в стиле барокко. Художественно-историческую ценность представляет интерьер костёла. Привлекательными для туристов являются и окрестности городка - развалины средневековых замков в посёлках Каменица и Ганиговце, широко известный минеральный источник Салватор, хорошие лыжные местности областей Дубовица и Ренчишов.

166. Римско-католический костёл св. Мартина епископа
167. Главный алтарь римско-католического костёла
168. Площадь и здание городского управления
169. Общий вид на городок Липаны
170. Универмаг и гостиница Липа
171. Пусте поле. Скалы
172. Криваны. Усадьба
173. Леса горного массива Бахурень
174. Музыкант с оригинальным народным инструментом, волынкой
175. Центр лыжного спорта Дубовицке жлиабки

Стражске

Городок Стражске расположен в северной части Восточнословацкой низменности. Первые упоминания о городке относятся к 1337 году (Ewrmezew - Сторожевое поле). Селение было основано в начале XII века королевскими сторожами. В XV веке оно было имуществом многих феодалов. Отличалось традициями мукомольного дела и виноградарства. Первый поезд прибыл в Стражске в 1871 году. В конце XIX века построили здесь нефтеочистительный завод. В 1943 году была открыта железнодорожная линия Стражске - Прешов. С городком Стражске (статус города посёлку был присвоен в 1968 году) связана жизнь многих личностей - писатели И. Данилович, П. Саболова-Йелинкова, актёр Э. Биндас, художники Й. Гак, М. Роговски и др.. Римско-католический костёл был построен в 1821 году, униатский в 1794 году. Стражске является исходным пунктом в интересные места - замки Бреков и Винне, водохранилище Земплинска Шираваa.

176. Римско-католический костёл вознесения Господня
177. Заповедник Лужны лес
178. Кривоштяны. Народный дом
179. Замок Бреков
180. Участники фольклорного ансамбля Стражтян
181. Площадь. На заднем плане Кривоштианка
182. Общий вид на город Стражске
183. Ценные дерева в парке около усадьбы
184. Открытие памятника жертвам первой мировой войны
185. Здание городского управления

Гиралтовце

Городок Гиралтовце расположен на слиянии рек Топля и Радомка. Первые письменные упоминания о нём относятся к 1416 году (Geralth). До самого 1848 года городок принадлежал многим феодальным династиям. По всей вероятности уже в конце XIV века существовали здесь костёл и католический дом священника. В XVII веке городок попал в зависимость от евангелических феодалов. В 1831 - 1851 гг. здесь работал евангелический священник Адам Гловик, известный собиратель народных песен, автор церковных песен и участник национального возрождения. В городке родился Ян Гвезда, поэт, который писал на шаришском наречии. Со второй половины XIX века Гиралтовце являются центром района и других учреждений. Старшей церковной постройкой является евангелический костёл аугсбургского вероисповедания, построенный в барочно-классицистическом стиле в конце XVIII века. Римско-католический костёл св. Цирила и Метода был возведён в 1939 году, униатский костёл в половине XX века. В городке находятся две усадьбы, сооружённые в стиле позднего Ренессанса в XVII веке.

186. Памятник жертвам первой мировой войны и униатский собор Богородицы неустанной помощи
187. Здание городского управления
188. Пластика матери с ребёнком на площади
189. Универмаг Еднота
190. Здание финансового учреждения
191. Общий вид на город
192. Местность в окрестностях города Гиралтовце

Ганушовце-на-Топле

Ганушовце-на-Топле были основаны в начале XIV века. Первые письменные упоминания о них относятся к 1332 году (Hanusfalva), когда король Карол Роберт предоставил тогдашнему селению городские привилегии. Развивающийся феодальный городок был известен торговлей и ремесленным производством. С 1634 года в городке существовала евангелическая городская латинская школа. Работал здесь Андрей Чорба, автор хроники в стихах о крестьянском восстании 1831 года. В 1943 году была открыта железнодорожная линия Прешов - Ганушовце - Вранов - Стражске. К числу ценнейших памятников относится раннеготический римско-католический костёл, сооружённый в начале XIV века. В 1783 году был евангеликами возведён классицистический костёл, перестроенный в 1820 году в стиле ампир. В городке две усадьбы. Старшая была построена в 1564 году, первоначально в стиле Ренессанса, а вторая в первой половине XVIII века в стиле барокко (ныне музей). В окрестностях городка находятся памятники второй мировой войны (Петровце, Матиашка) и интересные природные образования горного массива Сланске врхи (Долина обров, Облик).

193. Общий вид на центр города
194. Панорама города Ганушовце-на-Топле со стороны виадука
195. Усадьба Дежефиевых. Ныне музей.
196. Жёлтый зал усадьбы
197. Горный массив Сланске врхи. Облик
198. Ганушовские скалы
199. Ганушовский виадук
200. Колокольня у римско-католического костёла

Severovýchodné
SLOVENSKO

Publikácia vydaná pri príležitosti návštevy pápeža Jána Pavla II. v Prešove dňa 2. júla 1995

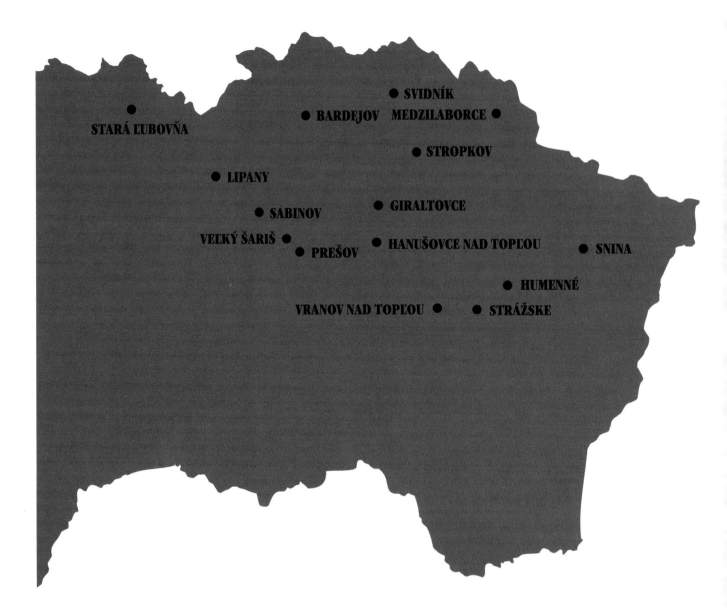

Vydal: vydavateľská fotoagentúra Prešov
Sadzba a litografia: ARKUS Prešov
Tlač: Polygraf Prešov

ISBN 80-85575-12-4